j'étais là

GAYLE FORMAN

J'étais là

TRADUIT DE L'ANGLAIS (ÉTATS-UNIS) PAR LUC RIGOUREAU

LE LIVRE DE POCHE

L'édition originale de cet ouvrage a paru chez Viking,
an imprint of Penguin Group (USA) LLC, sous le titre :

I Was Here

Copyright © 2015 by Gayle Forman, Inc.

« Fireflies », interprété par Bishop Allen,
est repris avec la permission de Justin Rice et de Christian Rudder,
avec l'aimable autorisation de Superhyper/ASCAP.

« Firefly », interprété par Heavens to Betsy,
est repris avec la permission de Corin Tucker,
avec l'aimable autorisation de Red Self Music/ASCAP.

Couverture : © iStock.

© Hachette Livre et Librairie Générale Française, 2015, pour la traduction française.
ISBN : 978-2-253-19115-5 – 1re publication LGF

À Suzy Gonzales

Chapitre 1

Le lendemain de la mort de Meg, j'ai reçu le mail suivant :

> J'ai le regret de vous informer qu'il m'a fallu en finir avec la vie. Cette décision, je l'ai prise il y a longtemps. Elle m'appartient entièrement. Je sais qu'elle vous causera du chagrin et j'en suis désolée, mais comprenez que je devais mettre un terme à mes souffrances. Ça n'a rien à voir avec vous, et tout avec moi. Ce n'est pas votre faute.
>
> Meg.

Elle en avait envoyé une copie à ses parents et une au commissariat de Tacoma, cette dernière accompagnée d'une note indiquant aux policiers dans quelle chambre de quel motel ils la trouveraient, quel poison elle avait absorbé et comment les employés de la morgue pouvaient sans risques récupérer son cadavre. Sur son oreiller, un mot ordonnait à la femme de ménage de prévenir les secours et de ne pas toucher à son corps. Elle y avait joint cinquante dollars de pourboire.

Elle avait veillé à expédier ses messages en différé. Ainsi, elle serait bel et bien morte quand nous les recevrions.

Ces détails, je ne les ai appris que plus tard, bien sûr. En découvrant sa lettre d'adieu sur l'ordinateur de la bibliothèque municipale, j'ai cru à une farce. À un mauvais canular. Je l'ai appelée. Comme elle ne répondait pas, j'ai contacté ses parents.

— Vous avez eu le mail de Meg ? leur ai-je demandé.

— Quel mail ?

chapitre 2

Entre les cérémonies du souvenir, les veillées funèbres et les cercles de prières, on s'y perd. Aux veillées, les participants tiennent un cierge, mais c'est parfois vrai aussi aux cercles de prières. Aux cérémonies du souvenir, les gens font des discours. Même si, à mon avis, parler ne sert à rien dans ces moments-là.

Que Meg soit morte – exprès en plus – est déjà dur ; qu'elle m'inflige de surcroît ces corvées ? Je l'étranglerais !

— Tu es prête, Cody ? me lance Tricia.

Jeudi, en fin d'après-midi, nous sommes sur le point d'assister à notre cinquième service ce mois-ci. Une veillée avec bougies. Je crois. J'émerge de ma chambre. Ma mère est en train de remonter la fermeture Éclair de la robe de cocktail noire qu'elle a achetée dans une friperie après la disparition de Meg. Bien qu'elle en ait fait sa panoplie de grand deuil, je suis certaine que, l'agitation retombée, elle la recyclera en tenue de soirée parmi d'autres. Elle a une sacrée allure, dedans. À l'instar de nombre de nos concitoyens, l'affliction lui va comme un gant.

— Pourquoi n'es-tu pas habillée ? demande-t-elle.

— Tous mes beaux habits sont sales.

— Quels beaux habits ?

— OK. Tous mes vêtements de circonstance sont sales.

— Ce serait bien la première fois que ça te gênerait.

Nous échangeons un regard peu amène. Quand j'ai eu huit ans, Tricia a décrété que j'étais assez vieille pour gérer mes lessives toute seule. J'ai horreur de ça. Vous voyez le résultat.

— Je ne comprends pas pour quelle raison nous devons nous en taper encore un, je dis.

— Parce que nos concitoyens ont besoin de digérer la chose.

— C'est le fromage qu'on digère. Nos concitoyens ont juste besoin d'un énième drame pour se distraire.

D'après la pancarte défraîchie plantée sur la nationale, notre bourg compte mille cinq cent soixante-quatorze habitants.

— Mille cinq cent soixante-treize, avait décrété Meg à l'automne dernier, quand elle avait réussi à s'échapper à Tacoma, grâce à une bourse universitaire. Mille cinq cent soixante-douze lorsque tu viendras à Seattle et qu'on se prendra une coloc, avait-elle ajouté.

Le nombre est retombé à mille cinq cent soixante-treize. Définitivement. Il en ira ainsi jusqu'à ce que quelqu'un naisse ou trépasse, j'imagine. Les gens d'ici s'en vont rarement. Quand Tammy Henthoff et Matt Parner ont quitté leurs conjoints respectifs pour se mettre en couple – l'objet des ragots les plus juteux avant le suicide de Meg –, ils ont emménagé dans un camping-caravaning en bordure de la ville.

— Faut-il vraiment que j'y aille ?

Pourquoi est-ce que je m'embête à lui poser cette question ? Si Tricia est ma mère, elle n'a aucune autorité, en l'espèce. Je sais très bien que ma présence est requise et je sais pourquoi. Pour qui. Pour Joe et Sue. Ce sont les parents de Meg. *C'étaient.* Je n'arrête pas de m'embrouiller avec les temps. Cesse-t-on d'être les parents de quelqu'un qui n'est plus ? Qui a choisi de mourir ? La nouvelle les a dévastés. Leurs cernes sont si profonds que je ne crois pas qu'ils s'effaceront un jour. Quoi qu'il en soit, c'est pour Joe et Sue que je déniche et enfile ma robe la moins crasseuse. Que je m'apprête à prier. Une fois encore.

Notre Père qui es aux cieux, restes-y.

chapitre 3

Mentalement, j'ai rédigé une bonne dizaine d'éloges funèbres pour Meg. Je me suis creusé la cervelle à propos de ce que je pouvais raconter à son sujet. J'ai pensé à son dessin de nous deux, exécuté dès la première semaine de notre rencontre au jardin d'enfants, avec nos noms dessus et des mots qui m'étaient alors incompréhensibles parce que, contrairement à elle, je ne savais encore ni lire ni écrire.

— Ça dit « meilleures amies », m'avait-elle expliqué.

Comme tout ce qu'elle voulait ou prédisait, c'était devenu réalité. Dans mon discours, j'aurais précisé que j'ai toujours ce dessin. Je le range dans la boîte à outils qui abrite mes trésors les plus chers. Il est tout froissé par les ans, à force d'avoir été plié et déplié.

Ou bien j'aurais décrit cette façon qu'avait Meg de repérer des détails à propos des autres qu'eux-mêmes ignoraient sûrement. Elle connaissait très précisément le nombre de fois d'affilée où quelqu'un éternuait, par exemple – il semblerait que ça fonctionne en rafales. Moi, c'était trois. Scottie et Sue, quatre. Joe, deux, et

Meg, cinq. Elle se rappelait les vêtements que vous portiez sur toutes les photos de classe, chacun de vos costumes d'Halloween. En quelque sorte, elle était l'archiviste de ma vie. Sa créatrice également, puisque j'avais fêté presque tous ces Halloween avec elle, attifée en général d'un déguisement de son invention.

J'aurais pu évoquer sa fascination pour les chansons sur les lucioles. Cette manie l'avait prise en quatrième, après qu'elle fut tombée sur le vinyle 45 tours d'un groupe baptisé Heavens to Betsy. Elle m'avait traînée dans sa chambre et m'avait passé son disque grésillant sur la vieille platine qu'elle avait achetée un dollar à une vente de charité organisée par la paroisse et réparée elle-même en s'inspirant de vidéos d'instructions postées sur YouTube. *Ce qu'on ressent quand on éclaire le ciel, tu ne le sauras jamais. Ce qu'on ressent quand on est une luciole, tu ne le sauras jamais.* Corine Tucker avait une voix à la fois si puissante et si vulnérable qu'elle en paraissait presque inhumaine. Une fois découverts les Heavens to Betsy, Meg s'était donné pour mission de dénicher tous les morceaux existants sur les lucioles. À sa bonne habitude, elle en avait dressé la liste exhaustive en quelques semaines seulement.

— As-tu déjà vu une luciole, au moins ? m'étais-je moquée.

J'étais sûre que non. Comme moi, elle n'avait pas mis les pieds à l'est des Rocheuses.

— J'ai le temps, avait-elle répondu en écartant les bras.

L'air de montrer qu'elle avait toute la vie devant elle.

Joe et Sue m'avaient demandé de prendre la parole lors de la première cérémonie, la grand-messe qui aurait dû se dérouler à l'église que les Garcia fréquentent depuis des années. Sauf qu'elle n'a pas eu lieu, parce que le père Grady, tout ami de la famille qu'il soit, est un curé à principes. Il leur a signifié que Meg s'était rendue coupable d'un péché capital et que, par conséquent, son âme ne serait pas admise au ciel, ni sa dépouille dans l'enceinte du cimetière catholique.

Cette dernière précision était purement théorique, car les enquêteurs ont mis des semaines à rendre le corps, sous prétexte que le poison ingurgité par Meg était très rare. Ça n'a pas étonné ceux qui la connaissaient. Elle ne portait pas de vêtements achetés dans des enseignes et n'écoutait que des formations musicales dont personne n'avait entendu parler. Il était logique qu'elle se déniche une obscure toxine à avaler.

Bref, le cercueil sur lequel tout le monde a sangloté lors de ce service était vide, et on a zappé l'enterrement. J'ai surpris Xavier, l'oncle de Meg, confiant à sa copine qu'il aurait d'ailleurs mieux valu qu'il n'y en ait pas du tout. L'épitaphe posait problème, apparemment.

— Quelle phrase ne sonnerait pas comme un reproche ? a-t-il murmuré.

Bref, j'avais vraiment essayé de rédiger un hommage pour l'occasion. En quête d'inspiration, j'avais réécouté le CD de chansons sur les lucioles qu'avait gravé Meg. La troisième, intitulée *Lucioles*, était des Bishop Allen. Je n'y avais sans doute pas franchement prêté attention jusque-là, parce que j'ai eu l'impression que Meg me flanquait une grande gifle depuis l'au-delà. *Ton sillage dit que tu peux encore lui pardonner. Et qu'elle te pardonnera en retour.*

Malheureusement, je ne suis pas certaine d'y arriver. Et je ne suis pas sûre qu'elle y soit parvenue de son côté.

Je me suis excusée auprès de Joe et Sue. Je leur ai dit que les mots me manquaient.

C'était la première fois que je leur mentais.

La commémoration d'aujourd'hui se tient au Rotary club. Rien de religieux donc, même si l'orateur a des allures de pasteur. J'aimerais comprendre d'où sortent ces gens qui ne cessent de discourir sur Meg alors qu'elle leur était étrangère, ou presque. La corvée terminée, Sue m'invite à la maison pour la suite des festivités.

Je passais tellement de temps chez Meg que, sitôt le seuil franchi et rien qu'à l'odeur qui régnait, j'étais capable de déterminer l'humeur de sa mère. Un arôme de beurre traduisait de la pâtisserie, donc Sue était mélancolique et cherchait le réconfort ; le parfum des épices incarnait la joie : elle avait préparé un plat mexicain à Joe, bien qu'elle-même digère mal la nourriture trop corsée. Les effluves de pop-corn annonçaient qu'elle s'était alitée dans le noir et n'avait pas cuisiné. Meg et Scottie étaient alors condamnés à se concocter leur propre repas, lequel se réduisait à un festin de saletés réchauffées au micro-ondes.

Ces jours-là, avant de monter à l'étage veiller sa femme, Joe plaisantait sur l'occasion que cela nous donnait, à nous les enfants, de nous goinfrer. Nous avions beau jouer le jeu, nous finissions par être écœurés à la deuxième ou troisième fournée de saucisses cocktail.

Je suis si familière de la vie des Garcia que le samedi où je les ai joints après avoir lu le mail de Meg, je savais que Sue paressait au lit (bien qu'il soit 11 heures), sans dormir cependant : elle soutenait être définitivement immunisée contre les grasses matinées à force d'avoir été réveillée aux aurores par Meg et Scottie. Installé à la table de la cuisine, Joe buvait son café devant le journal tandis que Scottie regardait ses dessins animés. La routine était l'un des nombreux aspects que j'aimais chez eux. Elle contrastait tant avec mes propres habitudes domestiques : Tricia se levait rarement avant midi. Il arrivait que je la découvre un matin en train de remplir un bol de céréales, ou bien qu'elle soit absente, et son lit, intact.

C'est dorénavant une monotonie toute différente qui régit le foyer des Garcia. Bien moins attirante. Pourtant, lorsque Sue me convie à la réception, j'accepte. Quand bien même je préférerais refuser.

Le nombre de voitures encombrant la rue est moins important qu'au tout début, lorsque la ville entière a défilé avec des petits plats mijotés destinés à exprimer tristesse et compassion. Accepter ces gratins accompagnés des inévitables condoléances n'a pas été simple. En effet, partout ailleurs, la rumeur allait bon train.

Ça ne m'étonne pas, cette gamine a toujours été bizarre.
Telle était la phrase type – chuchotée – que j'entendais à la supérette. Meg et moi n'ignorions pas que certains la dénigraient : dans une bourgade comme la nôtre, elle déroutait, telle une rose qui aurait fleuri en plein désert. Après sa mort, la perplexité a toutefois cessé d'avoir l'allure d'un hommage. Histoire d'aggraver leur cas, les habitants ne dégoisaient pas que sur Meg. Un jour, au bar de Tricia, des clientes ont réglé son compte à Sue :

— En tant que mère, je m'en serais doutée, si ma fille avait eu des tendances suicidaires.

Ça, de la part de la maternelle de Carrie Tarkington, qui avait couché avec la moitié du lycée ! Je m'apprêtais à demander à cette madame Je-sais-tout si elle se doutait que sa progéniture était une traînée, quand sa copine a rebondi :

— Sue ? Tu rigoles ! Au mieux de sa forme, elle est complètement à l'ouest !

Pareille cruauté m'a coupé le souffle.

— Et vous, bande de salopes ? les ai-je apostrophées d'une voix lourde de mépris. Dans quel état seriez-vous si vous veniez de perdre votre enfant ?

Tricia a dû me ramener fissa à la maison.

Après la cérémonie au Rotary, Tricia me dépose chez les Garcia avant de filer au travail. J'entre. Joe et Sue m'étreignent avec force et un peu trop longuement à mon goût. J'ai beau comprendre qu'ils trouvent une vague consolation dans ma présence, je devine aussi dans le regard que Sue pose sur moi une ribambelle de questions informulées. Qui se réduisent d'ailleurs à une seule : *Étais-tu au courant ?*

J'ignore ce qui est le pire. Qu'ils croient que j'aie pu être dans la confidence et me sois tue, ou la vérité : bien que Meg ait été ma meilleure amie et que je lui aie tout confié à mon sujet, partant du principe qu'elle faisait de même de son côté, non, je n'ai pas pressenti ce qu'elle tramait. Je n'en ai pas eu la moindre idée.

Cette décision, je l'ai prise il y a longtemps, a-t-elle écrit dans sa lettre d'adieu. C'est quoi, longtemps ? Des semaines ? Des mois ? Des années ? Nous étions comme deux sœurs depuis le jardin d'enfants, presque toujours autrement dit. Cette résolution, combien de temps l'a-t-elle mûrie sans rompre le secret ? Surtout, pourquoi ne m'en a-t-elle pas parlé ?

Au bout de dix minutes d'un silence poli, Scottie, le frère de Meg, s'approche avec Samson, leur chien – *son* chien à présent – tenu en laisse.

— Une balade ?

La proposition s'adresse autant à moi qu'à l'animal. J'acquiesce et me lève. Scottie semble le seul à rester égal à lui-même. Peut-être parce qu'il a dix ans, bien que ce ne soit pas si jeune que cela. Lui et Meg étaient très proches. Lorsque Sue sombrait dans l'une de ses crises, et que Joe s'éclipsait à son chevet, c'était Meg qui lui servait de mère.

Personne n'a songé à avertir la météo qu'on est fin avril. Le vent souffle en bourrasques violentes et glaciales qui soulèvent de méchants nuages de poussière.

Nous allons jusqu'au grand champ où tout le monde promène son chien. Scottie lâche Samson qui se met aussitôt à bondir, tout à la joie de son ignorance canine.

— Tu tiens le coup, Avorton ?

Le vieux sobriquet moqueur sonne faux. Par ailleurs, je sais très bien comment va Scottie. Mais vu que Meg n'est plus là pour endosser le rôle maternel, et que Sue et Joe sont submergés par le chagrin, il faut bien que quelqu'un lui pose la question.

— Je suis arrivé au niveau six de *Fiend Finder*, répond-il avec un haussement d'épaules. J'ai la console pour moi tout seul, maintenant.

— Ça aura eu au moins un avantage.

Aussitôt, je plaque ma main sur ma bouche. Mon humour macabre n'est pas à la portée de tous. Heureusement, Scottie part d'un rire bourru – et beaucoup trop vieux pour son âge.

— T'as raison, lâche-t-il en s'arrêtant pour observer Samson qui renifle le derrière d'un colley.

Sur le chemin du retour, alors que le chien tire sur sa laisse parce que c'est l'heure de la gamelle, Scottie me lance au débotté :

— Tu sais ce que je ne pige pas ?

Comme j'en suis encore aux jeux vidéo, je suis prise de court par ce qui suit :

— Qu'elle ne m'ait pas mis en copie moi aussi.

— Parce que tu as une adresse ?

Comme si ça pouvait expliquer le silence de Meg envers son frère. Il lève les yeux au ciel.

— J'ai dix ans, pas deux. J'en ai une depuis le CE2. Meg m'écrivait tout le temps.

— Ah. Euh… elle a sûrement voulu… t'épargner.

Durant une seconde, son regard est aussi morne que celui de ses parents.

— C'est ça, ouais. Elle m'a vachement épargné.

Chez les Garcia, les invités commencent à partir. Je tombe sur Sue qui jette un gratin de thon à la poubelle. Elle m'adresse un coup d'œil coupable. Quand je veux l'enlacer, elle se dérobe.

— Peux-tu rester encore un moment ? souffle-t-elle.

Sa voix est douce et retenue, tellement loin de la loquacité agressive de Meg, une faconde qui avait pour résultat d'amener les autres à lui obéir au doigt et à l'œil.

— Bien sûr.

D'un geste, elle m'indique le salon où, ignorant Samson qui, à ses pieds, le harcèle pour qu'il lui serve ses croquettes, Joe fixe le vide depuis le canapé où il est assis. Je le contemple dans la lumière déclinante du crépuscule. Meg tenait de lui son teint mat de Mexicaine. Il a l'air d'avoir pris mille ans en un mois.

— Cody.

Un seul mot. Suffisant pour que je fonde en larmes.

— Oui, Joe ?

— Sue voudrait te parler. Moi aussi.

Redoutant qu'ils osent enfin me demander si j'avais des soupçons, je sens mon pouls s'accélérer. Juste après le drame, j'ai été brièvement interrogée par la police, mais les questions portaient surtout sur la manière dont Meg s'était procuré le poison. Je n'ai d'ailleurs pas eu grand-chose à raconter, sinon qu'elle obtenait toujours ce qu'elle voulait. Par la suite, j'ai consulté des sites en ligne dédiés au suicide et à ses signes annonciateurs. Meg ne m'a légué aucun de ses objets précieux. Elle ne parlait pas de se tuer. Enfin, mis à part les plaisanteries banales comme :

— Si la mère Dobson nous colle une nouvelle interro surprise, je me tire une balle.

Ces phrases-là ne comptent pas, si ?

Sue rejoint son mari sur le divan défraîchi. Leurs yeux se croisent. Si furtivement qu'on croirait l'exercice douloureux. Ils se tournent vers moi. Comme si j'étais leur marraine-fée.

— L'année scolaire se termine le mois prochain, à Cascades, m'annoncent-ils.

J'opine. Cascades est la prestigieuse université privée où Meg avait décroché une bourse. Elle et moi avions projeté de partir ensemble à Seattle après le bac. Nous en discutions depuis la troisième. Toutes deux à la fac de l'État de Washington. Partageant un dortoir les deux premières années avant d'emménager dans un appartement près du campus jusqu'à la fin de nos études. Notre plan était tombé à l'eau quand, aussi incroyable que cela paraisse, Cascades avait proposé à Meg un financement complet. Seattle n'offrirait jamais un cadeau pareil. La preuve ? J'y avais été acceptée, mais à mes frais. Or Tricia avait été très claire sur ce point : elle n'avait pas les moyens de m'aider.

— Pas quand je viens *à peine* de rembourser mes propres dettes !

Pour cette raison, j'avais renoncé et j'étais restée. Mon idée était de suivre deux années au modeste centre universitaire public local, puis de demander mon transfert à Seattle pour me rapprocher de Meg.

Joe et Sue se taisent. Elle se ronge les ongles. Ses cuticules sont en sang. Elle relève la tête, se lance :

— Ils ont été très gentils, là-bas. Ils ont proposé de vider sa chambre et de nous expédier ses cartons. Mais je ne supporte pas l'idée qu'un inconnu fouille dans ses objets personnels.

— Et ses colocataires ?

La fac est si minuscule qu'elle n'a pas assez de places en foyer pour ses pupilles. Meg partage – partageait – une maison.

— D'après ce qu'on nous a dit, ils ont fermé sa porte à clé sans rien toucher. Même si le loyer est payé jusqu'à la fin du semestre, nous devons vider les lieux et…

Sa voix se brise.

— Rapporter ses affaires ici, termine Joe à sa place.

Il me faut une seconde pour saisir ce qu'ils attendent de moi. Ce qu'ils espèrent. Je suis d'abord soulagée : ça m'évite d'avouer que j'ignorais ce que Meg préparait. De formuler que, la seule fois dans son existence où *elle* a eu besoin de moi, *je* lui ai fait faux bond. Puis, le fardeau dont ils me chargent dégringole comme une pierre dans mon ventre. Ça ne signifie pas que je vais refuser. Au contraire. La question ne se pose même pas.

— Vous voulez que j'aille les chercher ?

Ils hochent la tête. Je hoche la tête. Leur rendre ce service est la moindre des choses.

— Quand tu auras terminé ton année de ton côté, bien sûr, précise Sue.

Officiellement, j'arrête les cours le mois prochain ; officieusement, je les ai arrêtés le jour où j'ai reçu le fameux mail. Je dois collectionner les zéros, à l'heure qu'il est. Ou des unités d'enseignement incomplètes. Le résultat est le même.

— Et si tu peux te libérer de ton travail, renchérit Joe.

Avec respect. Comme si j'occupais un poste important. Alors que je suis femme de ménage chez des particuliers. Comme tout un chacun, mes employeurs sont au courant de la mort de Meg. Ils se sont montrés très compréhensifs et m'ont encouragée à prendre tout le temps nécessaire pour me remettre. Sauf que les instants de vacance à ruminer sur Meg ne sont pas ce qu'il me faut.

— Rien ne me retient, je réponds. Je pars dès demain, si vous voulez.

— Elle n'avait pas emporté grand-chose. Tu n'auras qu'à emprunter la voiture.

Sue et Joe n'en ayant qu'une, l'organisation de leur emploi du temps s'apparente à une mission de la NASA. Sue dépose Joe au boulot puis Scottie à l'école avant de se rendre à son propre travail et elle réitère l'opération en fin de journée. Les week-ends sont de la même farine, entre les courses et les multiples démarches ou corvées qu'ils n'ont pas réussi à régler dans la semaine. Je n'ai pas de voiture. Parfois – rarement –, Tricia me prête la sienne.

— Et si j'y allais en car, plutôt ? Puisqu'elle n'a… n'avait pas beaucoup d'affaires ?

Ils paraissent soulagés.

— Nous te paierons le billet. N'hésite pas à expédier ses cartons par UPS.

— Ne te sens pas obligée de tout rapporter non plus, précise Sue.

Elle s'interrompt, ajoute :

— Juste ce qui te semblera important.

J'acquiesce. Leurs visages affichent une telle gratitude que je suis forcée de détourner les yeux. Ce voyage, ce n'est rien : une bonne action qui m'occupera trois jours. Un pour me rendre là-bas, un pour vider la chambre, un pour rentrer. Meg, elle, l'aurait proposé avant même qu'on l'en prie.

chapitre 4

De temps à autre, je lis un article plein d'espoir sur l'embourgeoisement de Tacoma, qui rivaliserait désormais avec Seattle. Mais quand le car me dépose dans le centre déserté, la ville me donne surtout l'impression d'être aux abois. De déployer des efforts en vain, un peu comme les copines de bar de Tricia, des femmes de cinquante balais bien sonnés qui s'affublent de minijupes et de chaussures compensées mais ne trompent personne, bien qu'elles soient maquillées comme des carrés d'as. *De vieilles peaux jouant les minettes.* Telle est en tout cas l'opinion qu'en ont les hommes chez nous.

À son départ, j'avais promis à Meg de venir la voir une fois par mois. En réalité, je ne l'avais gratifiée que d'une visite, en octobre. J'avais acheté un billet jusqu'à Tacoma, mais elle m'avait fait la surprise de m'attendre à la gare routière de Seattle. Avec pour idée de nous balader toute la journée dans Capitol Hill, de dîner dans un boui-boui de Chinatown puis d'assister à un concert à Belltown. Elle m'avait exposé le programme avec une telle exaltation que je m'étais demandé s'il relevait de l'argument de vente ou du prix de consolation.

Quoi qu'il en soit, il avait tourné au fiasco. Une pluie froide tombait, alors que j'avais quitté notre bourgade sous un soleil radieux. Un argument de plus pour ne pas m'installer à Seattle, avais-je pensé. Aucun des endroits dans lesquels nous étions allées – les magasins de fripes et de BD, les cafés – n'avait été à la hauteur de ce que je m'étais imaginé. C'est du moins ce que j'avais dit à Meg.

— Je suis navrée, s'était-elle excusée.

Sincèrement, sans ironie, comme si elle était responsable des défauts de la ville. Sauf que je mentais. Seattle était super, en dépit du temps pourri. J'aurais adoré y vivre. D'un autre côté, il ne fait aucun doute que j'aurais adoré vivre à New York, à Tahiti et dans les millions d'endroits où je n'irais jamais.

Nous étions donc censées aller écouter un groupe, ce soir-là. Des gens que Meg connaissait. J'avais annulé, arguant de ma fatigue, et nous étions rentrées chez elle, à Tacoma. Bien qu'il soit prévu que je reste jusqu'au lendemain soir, je m'étais inventé une angine afin de reprendre un car, tôt le dimanche.

Meg m'avait invitée à revenir, j'avais systématiquement trouvé des prétextes pour décliner : j'étais trop occupée, le trajet coûtait cher. Si c'était exact, ce n'était pas la vraie raison.

Il faut changer de bus entre le centre-ville et le minuscule campus arboré de Cascades, en bord de mer.

Joe m'a conseillé de me rendre à l'administration afin d'y récupérer des papiers et une clé. Même si Meg vivait dans une colocation à l'écart de la fac, cette dernière gère le logement de ses étudiants. Lorsque j'explique qui je suis à la secrétaire dont les vêtements amples ne servent qu'à souligner le surpoids, elle devine aussitôt la raison de ma présence. Je le lis dans le regard qu'elle m'adresse, et que je déteste pour avoir appris à l'identifier désormais : compassion bien rodée.

— Toutes mes condoléances, me susurre-t-elle. Nous organisons des séances de soutien psychologique hebdomadaires pour les élèves que la mort de Megan a bouleversés. Si ça t'intéresse, l'une d'elles doit bientôt avoir lieu.

Megan ? Il n'y avait que ses grands-parents pour l'appeler ainsi.

Elle me tend un dépliant couleur sur lequel se détache une photo souriante de Meg que je ne connais pas. Au-dessus sont écrits les mots *Préservons le lien*, avec un cœur à la place du point sur le i.

— Lundi après-midi, me précise la secrétaire.

— Ah, je serai sûrement partie d'ici là.

— Oh ! Quel dommage ! Ces réunions sont très bénéfiques. Tout le monde est choqué.

Choqué n'est pas le mot. *Choquée*, c'est ce que j'ai été quand j'ai enfin réussi à tirer les vers du nez à Tricia au sujet de mon père pour découvrir que, jusqu'à mes neuf ans, il vivait à moins de trente kilomètres de chez nous. Le suicide de Meg est complètement différent :

c'est comme se réveiller un matin et se rendre compte qu'on a été téléporté sur Mars.

— Je ne reste qu'une nuit, je précise.

— Oh ! Quel dommage ! répète-t-elle.

— Je regrette, oui.

Elle me remet un trousseau, m'indique où se trouve la maison (inutile, je suis déjà venue) et m'invite à la contacter en cas de besoin. Je déguerpis avant qu'elle rajoute un plan du campus ou, pire, un baiser.

Chez Meg, je frappe à la porte. Personne ne réagissant, j'entre. À l'intérieur flottent des odeurs de pizza et de marijuana auxquelles se mêlent des relents d'ammoniaque comme il s'en dégagerait de la caisse du chat. Je perçois des échos mélodieux, style *jam* comme les Phish ou les Widespread Panic. De la mauvaise musique hippie, autrement dit. Qui aurait donné envie à Meg de se flinguer, je songe. Avant de me rappeler qu'elle s'est en effet flinguée. Ou tout comme.

— Qui es-tu ?

Une fille grande et d'une beauté absurde s'est matérialisée devant moi. Elle porte un tee-shirt sur lequel le signe de la paix a été peint à la main et m'adresse un sourire dédaigneux.

— Cody. Reynolds. Je suis ici pour Meg. Pour ses affaires.

Elle se raidit. Comme si Meg, son nom, son existence même pétrifiaient soudain sa sérénité affectée. Je la vomis déjà. Lorsqu'elle se présente sous le nom de Tree, je regrette que Meg ne soit pas là pour que nous puissions échanger le regard de mépris subreptice

que nous avions perfectionné au fil des ans. *Tree ?*
Sans blague !

— Tu vis ici ? je demande.

Sitôt installée, Meg m'avait envoyé de longs mails
sur ses cours, ses profs et le petit boulot qu'elle effectuait pour la fac afin de participer au coût de ses études.
Parfois, elle me régalait aussi de portraits hilarants
de ses colocataires, dessins au fusain qu'elle scannait.
Autrefois, j'aurais ri de son ironie mordante, me serais
régalée de son arrogance. Nous avions toujours fonctionné ainsi : elle et moi contre le monde. Dès le collège, les autres nous avaient baptisées Le Clan. Mais à la
lecture de ces mails, j'avais eu le sentiment désagréable
qu'elle aggravait les défauts de ses camarades pour me
consoler, ce qui avait eu l'effet inverse. Je n'avais aucun
souvenir d'une dénommée Tree, cependant.

— Je suis une copine de Rich, me répond la garce
tendance hippie.

Ah ! Richard le roi du pétard, comme l'appelait
Meg. Lui, je l'avais rencontré lors de ma visite d'octobre.

— Bon, je vais attaquer, je dis.

— Va donc.

Cette hostilité non dissimulée est une douche froide
après l'attitude patte de velours qu'ont adoptée les
gens à mon égard ce dernier mois. Je m'attendrais
presque à tomber, devant la chambre de Meg, sur
une sorte d'autel comme ceux qui se sont multipliés
chez nous. Chaque fois que j'en croise un, l'envie me
démange d'arracher la tête des fleurs et de piétiner
les bougies. Rien de tel ici, néanmoins. En revanche,

la pochette d'un album a été collée sur la porte : *Feel the Darkness*, des Poison Idea. On y voit un type qui pointe un revolver sur sa tempe. Telle est donc l'idée que ses colocataires se font d'un hommage funèbre ?

Le souffle court, je tourne la clé dans la serrure, puis la poignée. J'entre. L'intérieur de la pièce me déroute autant que la porte. Meg avait la réputation d'être bordélique. Son antre, chez ses parents, regorgeait de piles branlantes de livres, CD, dessins et bricolages en cours : une lampe qu'elle essayait de réparer, un film en super 8 qu'elle projetait de sortir. Sue a beau m'avoir assuré que les autres habitants de la maison se sont contentés de fermer les lieux sans rien toucher, il me paraît évident que quelqu'un est venu ici. Le lit est fait, la plupart des affaires ont été soigneusement pliées, des cartons de déménagement sont entassés à plat sous le sommier. J'en aurai pour deux heures tout au plus. Si j'avais su, j'aurais accepté la voiture des Garcia et accompli ma mission en une seule journée.

Sue et Joe ont proposé de me payer une nuit de motel, j'ai refusé. Je suis au courant de leur situation financière. En dépit de la bourse, ils économisaient le moindre centime pour aider Meg, l'université impliquant des tas de frais secondaires. Sa mort aussi a entraîné beaucoup de dépenses. J'ai dit que je logerais ici. Maintenant que j'y suis, je ne peux endiguer le souvenir de la dernière – et unique – fois où j'y ai dormi.

Gamines, Meg et moi n'avions eu aucun problème à partager lits, divans et duvets. Ce fameux week-end, cependant, j'étais restée éveillée à côté d'une Meg plongée dans un sommeil profond. Elle ronflait un peu, et je n'avais pas arrêté de lui donner des coups de pied, comme si sa respiration était la cause de mon insomnie. Le dimanche matin, une méchante agressivité s'était nichée au creux de mon ventre, et je me serais volontiers disputée. Pourtant, me chamailler avec Meg était la dernière chose au monde que je souhaitais. Elle ne m'avait rien fait. Elle était ma meilleure amie. C'est pour ça que j'avais filé aux aurores. Sans avoir mal à la gorge.

Je regagne le rez-de-chaussée. Les Phish ont cédé la place à un air un peu plus rock. Les Japandroids, je crois. Bizarre, mais mieux. Des gens sur un canapé en velours mauve se partagent une pizza et un pack de bière. Comme Tree est avec eux, je les ignore, de même que l'odeur alléchante qui déclenche des gargouillis dans mon estomac. Je n'ai rien avalé depuis ce matin, si ce n'est une barre de céréales dans le car.

Dehors, la brume s'est levée. Je parcours des kilomètres avant de dénicher une rangée de restaurants crapoteux. Je m'assois dans l'un d'eux et commande un café. Quand la serveuse me lance un regard mauvais, j'y ajoute un petit déjeuner à deux dollars quatre-vingt-dix-neuf – servi 24 h/24 – et considère que ça m'octroie le droit de camper ici toute la nuit. Au bout de quelques heures, après qu'elle m'a resservi quatre ou cinq tasses de café, elle se résigne à me laisser tranquille. Je sors mon livre, regrettant de ne pas avoir emporté un thriller si captivant qu'il se lit tout seul.

Malheureusement, notre bibliothécaire m'a prêté un auteur d'Europe centrale dont tout le monde est entiché en ce moment. Elle a ce genre de lubies avec moi, Mme Banks.

Tout a commencé quand j'avais douze ans, et qu'elle m'a surprise plongée dans un succès de Jackie Collins, au bar – j'étais parfois contrainte d'y patienter, le temps que Tricia finisse sa journée. Mme Banks m'avait demandé quelle littérature j'aimais, j'avais cité quelques titres, surtout des poches que Tricia fauchait dans la salle de repos du boulot et rapportait à la maison.

— Sacrée lectrice ! m'avait-elle félicitée.

Puis elle m'avait incitée à passer à la bibliothèque municipale la semaine suivante. J'avais obtempéré, elle m'avait établi une carte et confié un exemplaire de *Jane Eyre* et un d'*Orgueil et Préjugés*.

— Lorsque tu les auras terminés, reviens me dire s'ils t'ont plu, et je t'en donnerai d'autres.

Je les avais dévorés en trois jours. *Jane Eyre* avait eu mes faveurs, bien que j'aie détesté M. Rochester au point de souhaiter qu'il meure dans l'incendie. Mon commentaire avait amené un sourire sur les lèvres de Mme Banks qui m'avait remis *Persuasion* et *Les Hauts de Hurlevent*. Il m'avait suffi d'une semaine pour les avaler. À partir de là, j'avais pris le pli d'une visite hebdomadaire afin de voir ce qu'elle avait à m'offrir. S'il me semblait stupéfiant que notre succursale ait autant d'ouvrages en rayons, ce n'est que quelques années plus tard que j'avais appris que Mme Banks les réservait spécialement pour moi par le biais du service interbibliothèque.

Ce soir, toutefois, j'ai du mal à ne pas fermer les yeux devant ce Milan Kundera contemplatif. Dès que je pique du nez, la serveuse, à croire qu'elle est équipée d'un radar, s'approche pour remplir ma tasse, alors que je n'y ai pas touché. Je réussis à tenir jusqu'à cinq heures du matin, puis je règle ma note, non sans laisser un gros pourboire, car je ne sais pas trop si l'employée s'est montrée impolie en m'empêchant de m'assoupir ou si elle a évité qu'on me jette dehors en m'empêchant de dormir. J'erre sur le campus jusqu'à ce que le centre de documentation ouvre, à 7 heures, je m'y dégote un coin tranquille et je sombre.

Lorsque je retourne chez Meg, un type et une fille sont en train de boire du café sur la véranda.

— Salut ! me lance le mec. C'est toi, Cody ?

— Oui.

— Richard.

— Exact. Nous nous sommes déjà vus.

Il n'a pas l'air de s'en souvenir. Il devait planer.

— Je m'appelle Alice, se présente sa compagne.

Il me revient que Meg avait mentionné l'arrivée d'une nouvelle colocataire à partir de janvier, en remplacement d'une première qui avait changé d'université au bout d'un semestre.

— Où étais-tu ? me demande Richard.

— Au motel, je mens.

— Pas le Starline, quand même ! s'inquiète Alice.

— Pardon ?

Une minute m'est nécessaire pour comprendre qu'il s'agit du fameux motel. Celui où Meg…

— Non, non. Un autre bouge.

— Un café ? me propose-t-elle.

Je secoue la tête. Les quantités que j'ai ingurgitées se sont transformées en acide dans mon estomac. Bien qu'épuisée et un brin hébétée, l'idée d'en boire un de plus me révulse.

— Un joint ? suggère alors Richard le roi du pétard.

— Voyons ! le tance Alice avec une tape sur le bras. Il faut qu'elle emballe ce *fourbi* ! Je ne crois pas que ce soit le moment pour Cody d'être défoncée.

— Au contraire, riposte-t-il.

— Je ne veux rien, merci, je dis.

Mais le soleil, qui tente de percer la mince couche de nuages, est soudain d'une telle luminosité que je titube.

— Assieds-toi, m'ordonne Alice. Mange quelque chose. Je m'entraîne à cuire mon propre pain. Je viens de sortir une miche du four.

— Un peu moins dure que les briques précédentes, concède son compagnon.

— Elle n'est pas si mauvaise ! Bon, d'accord, à condition d'y étaler des tonnes de beurre et de miel.

Je n'ai pas envie de pain. Je ne tenais pas à faire la connaissance de ces gens avant, c'est encore plus vrai maintenant. Malheureusement, l'apprenti mitron réapparaît avec sa concoction avant que j'aie eu le temps de me sauver. Je cède. La mie est dense et caoutchouteuse, mais Alice a raison : avec du beurre et du miel, ça passe. Quand j'ai terminé, je me lève et brosse les miettes de mes vêtements.

— Bon, mieux vaut que je m'y mette, je déclare en m'éloignant vers la porte. Apparemment, quelqu'un s'est déjà occupé de déménager les objets encombrants. Vous savez qui ?

Richard le roi du pétard et Alice la boulangère en herbe se regardent.

— C'est Meg qui a laissé sa chambre dans cet état, répond cette dernière. Elle qui a emballé ses affaires.

— Cette gourde aura veillé à tout jusqu'au bout, marmonne Richard avant de grimacer dans ma direction et d'ajouter : Excuse-moi.

— T'inquiète. Ça m'épargne du boulot.

Mon timbre a des accents nonchalants, comme si, en effet, j'étais soulagée.

Il me faut environ trois heures pour empaqueter ce qui reste. J'élimine tee-shirts et sous-vêtements troués qui ne seront d'aucune utilité aux parents de Meg ; je jette les revues musicales empilées dans un coin. J'hésite devant les draps de lit, qui ont conservé son odeur. Cette dernière aura-t-elle le même effet sur Sue que sur moi ? Celui de ranimer des souvenirs auréolés d'une réalité viscérale : nuits passées ensemble, fêtes et discussions jusqu'au petit matin qui nous voyaient mal fichues le lendemain, car nous n'avions pratiquement pas dormi, mais qui étaient chouettes aussi par le côté transfusion sanguine de ces conversations sans fin, instants de véracité et d'espoir qui constituaient les points lumineux trouant le tissu sombre de nos existences dans le bled paumé qui était notre royaume. Je suis tentée de humer ce linge. Cela suffirait peut-être à tout effacer. On ne retient pas sa respiration indéfiniment, cependant. Je finirai bien par devoir exhaler et, alors, ce sera comme ces jours où, au réveil, j'ai oublié avant de brutalement recouvrer la mémoire.

Le bureau d'UPS est au centre. Je vais être obligée de commander un taxi, d'y transborder les cartons, d'expédier le tout, de revenir chercher les deux sacs que j'ai bouclés avant d'attraper le car de 19 heures. En bas, Richard et Alice n'ont pas bougé. Je me demande s'il arrive aux élèves de cette fac prétendument réputée d'étudier.

— J'ai presque terminé, je leur annonce. Plus que quelques cartons à fermer, et je m'en vais.

— On t'apportera les greffiers avant, lâche Richard.

— Quels greffiers ?

— Les deux chatons de Meg, explique Alice. Elle ne t'en avait pas parlé ?

Elle m'observe en inclinant la tête. Je m'efforce de dissimuler mon étonnement. L'offense.

— Je ne suis pas au courant.

— Elle les avait trouvés dans la rue, il y a quelques mois. Ils étaient malades, d'une maigreur effrayante.

— Du pus coulait de leurs yeux, précise Richard.

— Une infection. Parmi tant d'autres. Meg les a ramassés, elle a dépensé une tonne de fric chez le véto, et ils se sont rétablis. Elle les adorait. Voilà pourquoi j'ai été si surprise… qu'elle se soit donné autant de mal pour ça, puis qu'elle… ben, tu sais, quoi.

— Ma foi, Meg était étrange, je murmure.

Mon amertume est si violente qu'elle doit empuantir mon haleine et titiller les narines de mes interlocuteurs.

— Les chats ne sont pas mon problème, je décrète ensuite.

— Il faut pourtant que quelqu'un s'en charge, objecte Alice. Jusqu'à maintenant, nous avons réussi à les planquer, mais le règlement nous interdit d'héberger des animaux. Et puis, nous partons bientôt pour les vacances, tous, et aucun de nous ne peut les prendre.

— Vous trouverez une solution.

— Les as-tu vus ?

Elle se lève, contourne la maison et émet des bruits de baiser dans l'air. Très vite, deux minuscules boules de poil bondissent à nos pieds.

— Voici Pince-mi, dit-elle en désignant le gris avec une tache noire sur le nez. L'autre est Pince-moi.

Pince-mi et Pince-moi sont dans un bateau. Pince-mi tombe à l'eau, qui reste-t-il ? Xavier, l'oncle de Meg, nous avait appris la blague, et nous aimions nous tourmenter avec. Pince-moi. Pince-moi. Pince-moi. Alice en dépose un dans mes bras. Aussitôt, il me pétrit de ses pattes, réflexe du félin qui cherche à téter. Puis, tout aussi rapidement, il renonce et s'endort, blotti contre ma poitrine. Quelque chose en moi frémit, écho de l'époque disparue où mon cœur ne s'était pas encore glacé. Quand, deux minutes plus tard, la bestiole se réveille et commence à ronronner, je craque.

— Il y a des refuges, par ici ?

— Oui, mais ils sont débordés, et au bout de trois jours, ils… tu sais.

Alice fait mine de se passer un couteau sous la gorge. Pince-mi (à moins que ce soit Pince-moi) ronronne toujours. Impossible de les rapporter chez nous, Tricia péterait un câble. Elle leur interdirait la maison, et les coyotes ou le froid les tueraient en un rien de temps. Quant à Sue et Joe, même si je leur demandais de les recueillir, j'ai été témoin de la façon dont Samson perd la boule dès qu'il aperçoit un félin.

— Il existe quelques refuges qui ne piquent pas leurs pensionnaires, à Seattle, intervient Richard. J'ai vu un reportage du Front de Libération des Animaux à ce sujet.

Je soupire.

— Très bien. Je m'y arrêterai en chemin afin d'y déposer ces deux-là.

— Ce n'est pas comme aller au pressing ! s'esclaffe-t-il. Il y a une procédure à respecter. Tu dois prendre rendez-vous, comme pour une admission à l'hosto.

— Parce que tu es déjà entré dans un pressing, toi ? se moque Alice.

Pince-mi/Pince-moi miaule. La boulangère me dévisage.

— Tu as combien d'heures de route ? s'enquiert-elle.

— Sept. Et d'abord, il faut que j'expédie les cartons.

Elle réfléchit, se tourne vers Richard, revient à moi.

— Il est 15 heures. Tu ferais mieux de filer à Seattle maintenant. Tu n'auras qu'à repartir tôt demain matin.

— Et pourquoi tu ne t'en occuperais pas ? je riposte. Tu m'as l'air d'avoir pensé à tout.

— J'ai une disserte à pondre. Pour mon cours de féminisme.

— Quand tu auras fini, alors ?

Elle hésite un instant.

— Non. Ces chats appartenaient à Meg. Je me sentirais mal de les abandonner.

— Donc, c'est moi qui me tape le sale boulot ?

J'ai conscience de la colère qui perce dans ma voix et je ne suis pas dupe de celle contre qui elle est dirigée. Il n'empêche, j'éprouve une sorte de satisfaction mauvaise quand cette étudiante à la noix tressaille.

— Du calme ! s'exclame Richard. Je vais te conduire à Seattle en voiture. On bazarde les greffiers, tu reviens ici avec moi et tu ficheras le camp aux aurores.

Il semble avoir autant envie de se débarrasser de moi, que moi de lui. Ça nous fait au moins un point commun.

Chapitre 5

Il semble qu'il soit plus difficile d'entrer dans les refuges pour animaux de Seattle que dans ses boîtes les plus *hype* défendues par des cordons de velours rouge. Le troisième où nous nous rendons a de la place, mais il exige que je dépose au préalable une demande d'acceptation accompagnée d'une copie du dossier vétérinaire des chatons. Quand j'explique à l'employée – couverte de piercings et chaussée de souliers branchés écolos sans cuir – que je suis censée quitter la ville et que les bestioles attendent dans la voiture, elle me gratifie du sourire le plus narquois qui soit et me rétorque que j'aurais dû y penser avant de les adopter. Je me retiens à grand-peine de la gifler.

— Prête pour un joint, maintenant ? me propose Richard le roi du pétard après cet ultime échec.

Il est 20 heures, les refuges ont fermé.

— Non.

— Si on sortait, alors ? Histoire de relâcher la pression ? De profiter de Seattle ?

Ma nuit blanche m'a épuisée, je n'ai aucune envie de traîner avec ce camé et je m'interroge pour savoir comment je vais dégoter le dossier vétérinaire des chats, puisque demain, on est dimanche. Je suis en train de chercher une excuse pour décliner quand mon compagnon précise :

— On pourrait aller dans un des rades que Meg affectionnait. Parfois, elle daignait nous y emmener. Elle y avait tout un tas de potes avec lesquels elle papotait pendant des plombes.

Son emploi de verbes tels que *daigner* et *affectionner* me désarçonne ; découvrir les endroits en question me tente. Je repense à ceux inscrits au programme du week-end d'octobre raté. À ceux inscrits au programme de tous les week-ends où je me suis défilée. Meg adorait frayer avec les musiciens, même si, peu après mon unique visite, ses mails enthousiastes à ce sujet s'étaient raréfiés avant de carrément cesser.

— Mais les chats ?

— Ils seront très bien dans la bagnole. Il ne fait pas froid, ils ont à boire et à manger.

Il tend un pouce en direction de la banquette arrière où, après avoir piaulé et miaulé tout le trajet, Pince-mi et Pince-moi sont sagement blottis dans leur panier. Nous roulons jusqu'à un bar de Fremont, près du canal. Avant de descendre de voiture, Richard allume une pipe. Il recrache la fumée par la fenêtre.

— Je m'en voudrais que ces chatons soient stone à cause de moi, rigole-t-il.

Tandis que nous payons nos entrées, il me révèle que Meg venait souvent ici. J'acquiesce comme si j'étais au courant. Les lieux déserts empestent la bière éventée, la Javel et la déprime. Abandonnant Richard au comptoir, je m'offre quelques parties de flipper en solitaire. Vers 22 heures, ça commence à se remplir ; vers 23, le premier groupe entame son tour de chant. Guitares saturées, chanteur qui feule plus qu'il chante. Après quelques morceaux passables, Richard le roi du pétard me rejoint à ma table.

— C'est Ben McCallister, m'annonce-t-il en désignant l'enroué de service.

— Ah ouais ?

Inconnu au bataillon. Normal, il faut un moment à la scène de Seattle pour parvenir jusqu'à Plouc-la-ville.

— Meg ne t'a pas parlé de lui ?

— Non.

Je ne développe pas, même si je lui hurlerais volontiers, à lui comme à tout le monde, d'arrêter de me poser cette question. J'ignore ce que Meg m'a dit et que je n'ai pas retenu autant que ce qu'elle m'a caché. Je n'ai qu'une fichue certitude : elle m'a tu qu'elle souffrait au point d'estimer que la seule solution consistait à acheter un tonneau de poison industriel et à le boire jusqu'à la lie.

Richard m'explique que Meg était obsédée par ce type, ce qui n'éclaire guère ma lanterne, car elle avait tendance à craquer pour des flopées de guitaristes. À un moment, celui-ci, ce Ben McCallister, s'interrompt pour avaler une gorgée de bière. Le long col de la bouteille coincé entre deux doigts, il laisse pendouiller son instrument sur sa hanche osseuse, tel un organe bizarre qui y aurait poussé. Quand il pivote vers le public, sous la lumière crue des projecteurs, je découvre que ses yeux sont d'un bleu incroyable. Puis il a ce geste, comme s'il les protégeait du soleil et cherchait quelqu'un dans la foule. C'est là que le déclic se produit.

— Oh ! je souffle. Mais ce doit être le guitariste héroïque et tragique !

— Ce mec n'a rien d'un héros, rétorque Richard.

Le guitariste héroïque et tragique. Meg l'avait évoqué à une ou deux reprises dans ses mails. Je m'en souviens, parce qu'elle n'avait mentionné aucun autre type à part lui. J'avais eu l'impression qu'elle adorait son groupe et qu'elle s'était amourachée de lui, comme elle s'amourachait systématiquement des musiciens – et des musiciennes – qu'elle croisait.

Le guitariste héroïque et tragique. Elle m'avait décrit son style, un son rétro à la Sonic Youth mâtiné de Velvet Underground mais imprégné d'influences plus modernes. Typique de ce dont Meg était friande. Elle avait aussi parlé de ses iris, si bleus qu'elle avait d'abord cru qu'il portait des lentilles. Je les regarde avec soin, et c'est vrai qu'ils ont une couleur bizarre. Une autre de ses phrases me revient. *Tu te rappelles le conseil que nous a donné Tricia, à ses débuts au bar ?* Tricia prodiguait les conseils à la louche. Surtout quand son auditoire était aussi attentif que Meg. Néanmoins, j'avais tout de suite compris auquel cette question se rapportait.

— Ne couchez jamais avec le barman, les filles.

— Pourquoi ? avait demandé Meg. Parce que tout le monde le fait ?

Elle aimait que Tricia s'adresse à nous comme à deux vieilles copines. Comme si l'une de nous avait déjà franchi le cap avec un garçon.

— Entre autres. Mais surtout parce que, après, c'en est fini des tournées gratuites.

Dans sa lettre, Meg poursuivait en signalant que la règle s'appliquait aussi aux guitaristes héroïques et tragiques. J'avais été décontenancée, parce qu'elle n'avait pas précisé avoir eu le béguin pour lui ni être sortie avec – et encore moins avoir eu des relations sexuelles. Elle qui n'en avait jamais eu, à une exception près, aventure sans lendemain dont nous étions convenues qu'elle ne comptait pas. Si elle avait fait une chose aussi cruciale, elle me l'aurait forcément confié, non ? J'avais d'ailleurs prévu de l'interroger là-dessus à son retour pour les vacances d'été. Sauf qu'elle n'est pas revenue.

Ainsi, c'est lui. Le guitariste héroïque et tragique. Le mythe. D'ordinaire, baptiser les créatures mythiques aide à les apprivoiser. Apprendre son nom reste sans effet sur moi, cependant. J'observe le groupe avec plus d'attention. McCallister a le comportement stéréotypé du rockeur de base. Il assène de grands coups à sa guitare, il s'incline sur elle, il se casse en deux au-dessus du micro, il cesse de jouer, il l'attrape comme s'il crochetait le cou d'une maîtresse. De l'épate. Mais de la bonne. Les admiratrices se bousculent sûrement au portillon. Que Meg ait pu en être m'étonne.

— Nous sommes les Scarps, annonce-t-il à la fin de leur passage. Les Silverfish suivent.

— On s'en va ? suggère Richard le roi du pétard.

Non. Je n'ai pas sommeil et j'en veux à mort à Ben McCallister qui, je viens de le réaliser, a baisé mon amie. Dans tous les sens du terme. L'a-t-il traitée comme une groupie qu'on jette après usage ? N'a-t-il donc pas saisi qu'il avait affaire à Meg Garcia ? Personne ne jette Meg.

— Pas tout de suite, je réponds.

Sur ce, je quitte mon tabouret et me dirige vers le comptoir où l'homme à la voix rauque boit une nouvelle bière et discute avec une bande de nanas qui le félicitent pour sa prestation géniale. Je fonds sur lui, me plante derrière lui, si près que je distingue les vertèbres de son cou et le tatouage sur son omoplate. Sauf que là, je bloque, ignorant comment l'aborder. Lui, en revanche, paraît très bien savoir quoi me dire car, après quelques échanges avec ses fans, il se retourne et me dévisage.

— Je t'ai repérée, là-bas.

De près, Ben McCallister est bien plus beau gosse qu'il devrait être permis à un beau gosse de l'être. Le mâle irlandais dans toute sa splendeur : cheveux bruns, peau qu'une fille qualifierait d'albâtre mais qui, sur un rockeur, a la qualité blafarde de rigueur, lèvres rouges et pleines. Sans oublier les yeux, bien sûr. Meg ne mentait pas, on dirait des lentilles.

— Où ça ?

— Là-bas, répète-t-il en désignant les tables. Je cherchais un pote qui avait promis de passer. Mais ces lumières, ça t'aveugle. (Comme sur scène, il met sa main en visière.) C'est là que je t'ai vue. (Pause effet.) Comme si c'était toi, que je cherchais... et que je t'avais trouvée.

Sérieux ? La phrase éculée par excellence ? Un rôle tellement bien rodé qu'il n'oublie pas d'intégrer le show qui va avec sur scène ? La mascarade est efficace, je l'admets. Si j'étais idolâtre, je répondrais : *Ouah, tu me cherchais ! Génial !* Si je ne l'étais pas, ce serait : *Comme tu causes bien ! Quel musicien sensible tu dois être pour croire en la destinée !* Est-ce ainsi qu'il a harponné Meg ? Est-elle tombée dans le panneau ? Je frissonne rien que d'y penser. Mais bon, elle était déracinée, avec des paillettes plein les yeux et des volutes de guitare plein les narines. Alors, qui sait ? Le dragueur de bas étage assimile mon silence à de la coquetterie.

— Et tu t'appelles comment ?

Mon nom lui dira-t-il quelque chose ? Lui a-t-elle parlé de moi ?

— Cody.

— Cody, Cody, Cody, égrène-t-il comme si mon prénom était une voiture qu'il soumettrait à un essai sur route. Un vrai prénom de cavalière, ça. D'où viens-tu, Cavalière Cody ?

— Du pays des cavalières.

Demi-sourire. Il le rationne, ou quoi ?

— Un pays que j'aimerais beaucoup visiter. On pourrait s'offrir un rodéo, par exemple ?

Regard appuyé, des fois que je n'aie pas pigé l'allusion.

— Tu serais vite désarçonné.

Ça, ça lui plaît drôlement. Il est persuadé que nous flirtons.

— Ah bon ?

— Oui. Les chevaux hument la peur.

Il flanche. Rien qu'une seconde.

— D'où tiens-tu que j'ai la frousse ?

— Les connards de la ville l'ont toujours.

— Comment sais-tu que je suis un connard de la ville ?

— Eh bien, on est en ville, non ? Et tu es un connard, non ?

Pour le coup, désarçonné, il l'est. Suis-je le genre de fille à draguer brutalement, promesse de moments chauds, voire un brin dangereux, au lit ? Ou le badinage a-t-il dérapé vers tout autre chose ? Il se ressaisit cependant, affiche le sourire paresseux et canaille du rockeur à la manque.

— Qui t'a renseignée sur mon compte, Cavalière Cody ?

Si le ton est léger, j'y perçois un accent moins aimable, soudain. De mon côté, j'opte pour un chuchotis racoleur, de ceux que Tricia maîtrise à la perfection.

— Qui, en effet, Ben McCallister ?

Je me penche vers lui. Il fait de même. Comme s'il espérait un baiser. Comme si, en général, il lui était toujours aussi simple de conquérir une nana.

— Et si on parlait plutôt de qui ne m'a pas trop renseignée ces derniers temps ? je demande dans un souffle proprement aérien.

— De qui s'agit-il ?

Nous sommes maintenant assez proches pour que je sente la bière dans son haleine.

— Meg Garcia. Voilà plus d'un mois que je n'ai pas eu de contact avec elle. Et toi ?

Il bondit en arrière. Littéralement. Se redresse comme un serpent qui reculerait avant de frapper.

— C'est quoi ce bordel ?

La partie séduction de la soirée vient de s'achever brutalement, et il a grogné pour de bon, d'une voix sans aucun rapport avec la raucité feulée sur scène.

— Meg Garcia, je répète. Tu connais ?

Soutenir son regard est une épreuve mais, ces dernières semaines, j'ai acquis une certaine expérience en matière d'épreuves.

— Qui es-tu ?

Une fureur indéfinissable incendie ses prunelles, dont les iris se glacent. Pour le coup, elles n'ont plus rien de lentilles de contact.

— Ou l'as-tu seulement sautée ? Sautée jusqu'à ce que mort s'ensuive ?

On tapote sur mon épaule. Richard le roi du pétard.

— Je me lève demain matin, m'informe-t-il.

— J'ai fini.

Il n'est pas loin de minuit, j'ai dormi trois heures, j'ai oublié d'avaler un repas digne de ce nom et je tremble comme une feuille. Je réussis à marcher jusqu'à la porte, où je trébuche. Richard me retient par le bras. Je commets alors l'erreur de me retourner pour jeter un ultime coup d'œil assassin à Ben McCallister, le beau gosse présomptueux et frimeur. Je le regrette aussitôt. Parce que son visage arbore cette expression, grimace particulière où la colère le dispute à la culpabilité. Je la connais par cœur. Je la contemple tous les jours dans le miroir.

chapitre 6

Cette nuit-là, je m'effondre tout habillée sur le canapé en velours. Au réveil, Pince-mi et Pince-moi ont élu domicile sur ma poitrine et mon visage. Soit j'ai investi leur nid, soit ils m'ont investie. Je me redresse et m'assois, juste à temps pour voir le dernier des colocataires de Meg, absent jusqu'à maintenant, déposer son bol dans l'évier de la cuisine et s'éclipser par la porte de derrière.

— Salut, Harry ! lui lance Alice.

Voici donc Harry Kang. À en croire Meg, il se confine dans ses quartiers en compagnie de ses multiples ordinateurs et de ses bocaux de *kimchi*. Alice m'apporte une tasse de café. Elle se sent obligée de m'informer qu'il est bio, issu du commerce équitable et cultivé dans la pénombre des arbres du Malawi. J'opine comme s'il m'importait que le breuvage soit autre chose que chaud et fort. Je regarde les chats qui s'amusent à se donner des coups de patte. L'une des oreilles de Pince-moi s'étant retournée, je la remets en place. Il miaule. C'est à vous fendre le cœur. Que ça me plaise ou non, je ne vais pas réussir à abandonner ces loustics dans un refuge. Même un qui ne pique pas ses pensionnaires.

Mon café bu, je sors sur la véranda. Quelqu'un a aligné des bouteilles de bière vides comme des quilles de bowling. J'appelle Tricia. Bien qu'il ne soit que 10 h 30, elle décroche. Miracle.

— Alors ? C'est comment, la grande ville ?

— Grand. Que dirais-tu si je rapportais deux chatons à la maison ?

— Que dirais-tu d'aller vivre ailleurs ?

— Ce serait temporaire. Jusqu'à ce que je leur trouve un foyer.

— Oublie, Cody. Je t'ai élevée pendant dix-huit ans. J'en ai soupé, des créatures sans défense.

J'aurais beaucoup à dire à ce sujet, notamment sur la créature sans défense qu'elle aurait choyée. J'oserais affirmer que je me suis élevée toute seule si ça n'était pas injuste envers les Garcia. Lors de mon angine infectieuse, c'est Sue qui a remarqué mes amygdales gonflées et m'a conduite chez le pédiatre pour qu'il me prescrive des antibiotiques. À mes premières règles, c'est elle qui m'a acheté des tampons. Tricia s'était bornée à me montrer ceux qu'elle rangeait dans l'armoire à pharmacie *pour quand ce sera le moment*. Visiblement, il lui échappait que la perspective de s'insérer un objet « ultra long super absorbant » puisse éventuellement terrifier une gosse de douze ans. Quant aux cinquante heures de conduite accompagnée nécessaires à l'obtention de mon permis, Tricia les a toutes esquivées, sauf trois. C'est

Joe qui s'est farci les quarante-sept autres, passant un nombre incalculable de dimanches en voiture avec Meg et moi.

— Je risque de rester un peu plus longtemps que prévu, je reprends. Peux-tu me remplacer chez Mme Mason lundi ? Il y a quarante dollars à gagner.

— Marché conclu.

Tricia ne dit jamais non au fric. Elle ne me demande pas pourquoi je ne rentre pas tout de suite ni quand je compte le faire. Mon second coup de fil est pour les Garcia. Il exige un peu plus de doigté. Si je mentionne les chats, ils vont aussitôt proposer de les garder chez eux, quand bien même ça tournerait à la cata à cause de Samson. J'explique à Sue que j'ai besoin d'une ou deux journées supplémentaires afin de régler les derniers détails. Elle semble soulagée, ne pose pas de questions. Me dit juste de prendre autant de temps que nécessaire. Je suis sur le point de raccrocher quand elle ajoute :

— Et, Cody… ?

Je hais ces *Et, Cody… ?* J'ai l'impression qu'on arme le chien d'un pistolet. Je redoute qu'elle m'annonce qu'ils sont au courant de tout. Un long silence s'installe. Mon cœur bat la chamade.

— Merci, se borne-t-elle cependant à murmurer.

De retour à l'intérieur, j'interroge Alice sur la meilleure façon de dénicher un foyer aux félins. Accueillant et généreux, ça va de soi.

— Tu pourrais passer une annonce dans le journal, mais il paraît que, parfois, les animaux terminent comme cobayes dans des labos.

— Laisse tomber.

— Et si on collait des affiches dans le quartier ? Tout le monde craque pour un chaton.

— OK, je soupire. On procède comment ?

— Je commencerais par tirer leur portrait à Pince-mi et Pince-moi, je me l'enverrais par mail, j'ajouterais une ou deux lignes de texte et je l'imprimerais. Le mieux serait sans doute d'utiliser la bécane de Meg. Elle a un appareil photo intégré.

L'ordinateur à mille huit cents dollars que ses parents lui ont offert à son départ pour la fac. Ils ont encore un crédit dessus. Je monte dans sa chambre, déniche l'engin dans l'un des cartons et l'allume. Il est protégé par un mot de passe, mais je n'ai qu'à taper Avorton pour que le bureau apparaisse. Je redescends au rez-de-chaussée, où Alice tente de faire poser les chats. Un vrai cirque. Je finis quand même par réussir à prendre une photo potable. Efficace comme une professionnelle, Alice crée ensuite un avis, et je retourne à l'étage pour en imprimer un exemplaire, à titre d'essai.

Je suis sur le point de fermer l'appareil quand, au bas de l'écran, le raccourci de la messagerie attire mon œil. Sans réfléchir, je clique dessus. Aussitôt, une légion de mails non lus apparaît, des indésirables pour l'essentiel, des bêtises émanant d'anonymes qui ignorent sa mort. Il y a aussi un ou deux *Tu nous manques, Meg,* et un mot haineux lui assurant qu'elle rôtira en enfer, se tuer étant un péché. Je le supprime.

La curiosité m'incite à lire le dernier mail qu'elle a envoyé. Ne serait-ce que pour voir à qui elle le destinait. S'agit-il de l'annonce de son suicide ? Tout en cliquant sur le dossier d'expédition, je vérifie que personne ne me regarde. Ce qui est le cas, bien sûr.

Non, ce n'est pas sa lettre d'adieu. Celle-là, nous savons maintenant qu'elle l'a conçue deux jours avant de passer à l'acte et l'a programmée pour qu'elle parte le lendemain de sa disparition. Apparemment, après l'avoir écrite, elle a rédigé une poignée d'autres messages, dont l'un à la bibliothèque, afin de contester une amende pour retard. Elle avait prévu d'en finir avec la vie et elle s'est inquiétée d'une broutille pareille ? Je ne comprends pas. Comment peut-on prendre une décision aussi définitive, en régler le moindre détail et, mine de rien, continuer à assumer la banalité du quotidien ? Si l'on est capable de gérer le trivial, c'est qu'on est capable de vivre, n'est-ce pas ?

Je fais défiler la liste des mails plus anciens. L'un d'eux, adressé à Scottie, date de quelques jours avant qu'elle commette l'irréparable. Salut, Avorton, je t'aime. Je t'aimerai toujours. Est-ce là un semblant d'au revoir ? M'en a-t-elle expédié un à moi aussi que j'aurais raté ? Je remonte le temps. Étrange. Il y a un vide de six semaines entre celle qui a précédé son suicide et le mois de janvier, où je retombe sur une correspondance au rythme normal, soutenu même. Je m'apprête à fermer l'appli quand un autre message récent

retient mon attention. Adressé à grandmechantben@
podmail.com. J'hésite un peu, l'ouvre.

Je ne t'embêterai plus.

Sauf erreur de ma part, c'est une autre forme d'au
revoir. Malgré le smiley, je devine le cœur brisé, le sentiment de rejet et d'échec. Autant d'émotions que je
n'ai jamais associées à Meg Garcia. Revenant à la boîte
de réception, je traque les envois de grandmechantben.
Ils ont commencé à l'automne. Les premiers sont
courts et spirituels, badinages d'une ligne, de deux
tout au plus. De sa part à lui, du moins, car je n'ai pas
les réponses de Meg : l'ordinateur de McCallister doit
éliminer automatiquement le contenu des mails auxquels il réagit. Ils semblent avoir entamé leur correspondance juste après qu'elle était allée le voir jouer. Il
y a beaucoup de : *Merci d'être venue au spectacle. Merci
d'être sympa alors que le groupe n'a vraiment pas assuré*
– prétendues autocritiques dont un enfant de six ans
ne serait pas dupe. Certains la renseignent juste sur
des concerts à venir.

Le ton évolue peu à peu. Il devient plus amical, puis
carrément enjôleur. Dans un message, il la surnomme
Meg la maboule ; dans un autre, il évoque ses écrase-
merde électriques – sûrement ses santiags en peau de
serpent orange qu'elle avait achetées dans une vente
de charité et portait tout le temps. Quelque part, il la
traite de dingue, parce que tout le monde le sait pertinemment, c'est Keith Moon le meilleur batteur du

monde. Ces discussions sur la musique comme en raffolait Meg, au cours desquelles elle déployait l'arsenal de ses armes de séduction massive, sont nombreuses.

Mais soudain, c'est la douche froide. *Cool, nous restons amis*, écrit-il. Je perçois son embarras, bien que plusieurs semaines d'échanges aient été effacées. Je rouvre la boîte d'expédition de Meg, afin de vérifier ce qu'elle lui a écrit alors. Si je découvre les mails des débuts, celui concernant Keith Moon par exemple, je m'aperçois que ceux qui ont provoqué les derniers de McCallister manquent à l'appel. Elle a jeté à la corbeille la presque totalité des mois de janvier et février. Curieux.

Je reviens aux mails de Ben. Dans l'un d'eux, il dit : *Ne t'inquiète pas pour ça.* Dans un deuxième, il la prie de ne plus lui téléphoner aussi tard. Un troisième répète qu'ils sont toujours amis, mais sur un ton moins convaincu. Un quatrième demande si c'est elle qui a son tee-shirt des Mudhoney et, si oui, qu'elle veuille bien le lui rendre, car il le tenait de son père. L'un des tout derniers assène avec une brutalité qui déclenche en moi une haine absolue envers ce type : *Fiche-moi la paix, Meg.*

Pour ça, c'est réussi, mon pote. Elle te la fiche, la paix.

Hier, en rangeant ses affaires, j'ai trouvé un grand tee-shirt noir, blanc et rouge, soigneusement plié. Comme je ne le lui connaissais pas, je l'ai placé sur la pile des objets à donner. Je le récupère. Il est effectivement à l'effigie des Mudhoney. La fringue si précieuse au cœur de ce sans-cœur. Même ça, il n'a pas su le lui donner. Revenant à l'ordinateur, les doigts animés par une sainte colère, je tape un mot à grandmechantben. Je l'intitule *Résurrection*. Le texte est le suivant : *Celle de ton cher tee-shirt, s'entend. Les miracles ont leurs limites. La parousie aussi.*

Je ne le signe pas et l'envoie immédiatement, sur ma lancée. Il ne faut pas plus de trente secondes pour que je le regrette et me rappelle pourquoi je déteste les mails. Dans une lettre que tu destinerais, mettons, à ton père, tu pourrais en écrire des tartines sur ce qui te paraît important parce que tu ignores où il habite et, quand bien même tu le saurais, le temps de trouver une enveloppe et d'y coller un timbre, tu auras déchiré ta missive. En revanche, le jour où tu finis par dénicher son adresse électronique et où le hasard t'amène à côté d'un ordinateur avec accès à Internet, un jour sans filet donc, tu vides ton sac et tu expédies ton message avant de t'être donné le temps de la réflexion. Ensuite, tu attends, attends, attends. En vain. Tu comprends alors que ce qui te semblait si vital de formuler ne l'est pas tant que ça. Ne méritait pas de l'être.

Alice et moi inondons d'affiches le quartier de l'université. Puis elle a la bonne idée d'aller en coller près de l'épicerie fine où les riches de Tacoma font leurs courses. Dans le bus, elle m'explique que ce n'est pas un magasin bio, mais que ça ne devrait plus tarder. Quand j'exprime mon bonheur de l'apprendre, elle acquiesce sans saisir l'ironie. Agacée, je me tourne vers la vitre en priant pour qu'elle la boucle.

Malheureusement, notre expédition est un échec, parce que le gérant refuse de nous autoriser à distribuer les prospectus à l'intérieur de la boutique. Nous nous rabattons sur le trottoir. Les privilégiés avec sacs à provision recyclables nous toisent comme si nous leur proposions des échantillons gratuits de crack.

Il est 17 heures passées quand nous rentrons, et même la guillerette Alice est abattue. Moi, je suis furieuse et frustrée. Je n'en reviens pas qu'il soit si difficile de placer des chatons. L'aventure ressemble à une mauvaise plaisanterie de Meg, qui aurait le dernier mot, l'ultime éclat de rire. Dans la maison plane une odeur de nourriture curieuse, désagréable, mélange d'épices mal assorties – curry, romarin, trop d'ail. Tree est réapparue. Trônant sur le canapé, elle sirote une bière.

— Tu n'étais pas censée partir ? me lance-t-elle fraîchement.

Alice punaise l'une de nos annonces sur le tableau d'affichage installé près de la porte, à côté de celle qui fait la réclame de la réunion *Préservons le lien* qui est prévue le lendemain. Elle explique à Tree que je cherche un foyer à Pince-mi et Pince-moi. Quand la blonde grimace, je lâche :

— Tu as quelque chose contre les chats ?

— Seulement contre leurs noms, répond-elle en plissant le nez. Ils sonnent si... *gays.*

— Je te signale que je suis bisexuelle, intervient Alice. Je n'apprécie guère ce ton désobligeant.

Malgré ses efforts pour avoir l'air en colère, sa voix est allègre.

— Désolée, ça n'en reste pas moins vrai, persiste Tree. Et tant pis pour le respect dû aux morts.

En cet instant, elle est moins une hippie snob qu'une bouseuse comme il en pullule dans notre petite ville. Je l'en déteste plus et moins à la fois.

— Et quels noms leur conviendraient mieux, à ton avis ? je lui demande.

— Clic et Clac, décrète-t-elle sans hésiter. D'ailleurs, c'est comme ça que je les appelle, dans ma tête.

— Et tu oses dire que Pince-mi et Pince-moi, c'est nul ? s'esclaffe Richard, qui surgit dans le salon, une cuiller en bois à la main, un tablier taché autour des hanches. Je soumets Lenny et Steve au vote.

— Pas pour des chats, objecte Alice.

— Pourquoi ça ? riposte le roi du pétard en brandissant sa spatule d'où émanent les mêmes arômes étranges que ceux en provenance de la cuisine. Qui a faim ?

— Qu'as-tu préparé ? s'inquiète Tree.

— Un ragoût de tout ce que j'ai trouvé dans le frigo.

— Tu devrais y ajouter les chatons, ricane-t-elle. Comme ça, on en serait débarrassés.

— Je croyais que tu étais végétarienne, réplique Alice, acide.

Richard me propose de partager son horrible invention gastronomique. On dirait que les épices se sont colletées, et qu'aucune n'est sortie vivante de la bagarre. Ce n'est pas ce qui me pousse à refuser, cependant. La sociabilité me pèse. J'ignore quand c'est arrivé. J'ai eu des amis, pas forcément proches, mais des amis quand même. À l'école et ailleurs. Je passais ma vie chez les Garcia. Tout cela paraît si loin à présent.

Laissant les colocataires à leur repas, je vais me chercher à boire dans la cuisine. Plus tôt dans la journée, j'ai acheté un litre de Dr Pepper que j'ai rangé au réfrigérateur. Je suis obligée de fouiller ce dernier car, dans son enthousiasme culinaire, Richard y a tout chamboulé. C'est alors que, au fond, je tombe sur deux canettes de RC Cola. Mon ventre se noue. Seule Meg en consommait, à ma connaissance. J'en remplis une tasse souvenir aux couleurs d'un vieux groupe de Tacoma, les Sonics, y ajoute des glaçons. Quand je m'en irai d'ici, je compte bien n'y laisser aucune trace de ma meilleure amie.

J'emporte ma boisson sur la véranda. Moi qui la croyais déserte, j'y découvre quelqu'un. Je m'arrête si brutalement que je m'éclabousse de RC. L'intrus fume une cigarette dont l'extrémité incandescente brûle comme une menace dans la lueur grisâtre du crépuscule. J'hésite entre deux surprises : que mon mail ait eu un impact sur lui ou qu'il ait l'air de vouloir m'étrangler.

Histoire de ne pas lui en donner le loisir, je pose ma tasse sur la rambarde, tourne les talons et monte à l'étage. Je me retiens de courir, j'affecte un calme que je suis loin d'éprouver. Il est venu chercher son tee-shirt, il va l'avoir. Je le lui balancerai au visage et le prierai sans ménagement de déguerpir. Des bruits de pas résonnent dans mon dos – il grimpe les marches également. Du coup, je ne sais plus trop quoi faire. Appeler à l'aide serait trahir de la faiblesse. En même temps, j'ai vu l'éclat assassin dans ses yeux. Il n'a pas reçu que mon mail : ma haine aussi. Et il me la renvoie en pleine figure, comme un retour de bâton. J'entre dans la chambre de Meg. Le vêtement est au sommet de la pile, où je l'ai laissé. Ben s'encadre sur le seuil. Je lui jette son tee-shirt. Qu'il décampe ! Qu'il disparaisse de ma vie ! Il ne bronche pas, toutefois. Le bout de tissu rebondit sur son torse et tombe mollement par terre.

— C'est quoi ce bordel ? gronde-t-il.

— Quel bordel ? Tu voulais ton tee-shirt, je te le rends.

— Qu'est-ce que tu as dans le sang pour te comporter comme ça ?

— Que me reproches-tu ? Tu as exprimé le souhait de récupérer…

— Arrête tes âneries, Cody !

L'entendre prononcer mon prénom me déstabilise. Pas « Cavalière Cody » susurré dans une ridicule tentative de séduction, juste « Cody », brut de décoffrage.

— Tu m'écris un mail depuis la boîte d'une morte, enchaîne-t-il. Es-tu garce à ce point ou juste tarée ?

— Ton tee-shirt, je répète, sans conviction parce que j'ai peur désormais.

Il me fusille du regard. Dans la lumière blafarde de la pièce, ses iris ont une couleur différente. Me revient en mémoire le dernier message que Meg lui a expédié. *Je ne t'embêterai plus.* La colère reprend le dessus.

— Même lui laisser un souvenir de toi était au-dessus de tes forces, hein ? Tu devrais pourtant le faire avec les nanas que tu tronches sûrement à la pelle. Leur refiler un tee-shirt pour qu'elles digèrent la rupture. Mais le réclamer ensuite ? Pas très classe.

— Tu ne sais pas de quoi tu parles, c'est évident.

— Éclaire ma lanterne, alors.

Ma voix a des accents désespérés. Il n'a pas tort. J'ignore tout. Sinon, nous n'en serions pas là. Il me toise comme si j'étais un fruit pourri. La différence avec le dragueur mielleux de la veille me stupéfie.

— Que s'est-il passé ? je reprends. Tu t'es lassé d'elle ? Tu agis comme ça avec toutes les filles ? Tu dois manquer de clairvoyance. Parce que si tu l'avais connue, tu n'en n'aurais jamais eu marre d'elle. C'était Meg Garcia, bon Dieu ! Qui es-tu, Ben McCallister, pour *lui* ordonner de *te* laisser tranquille ?

Je suis à deux doigts de craquer. Mais ça ne se produira pas. Ou plus tard. Il se présente toujours une occasion de craquer. La rage, chez Ben, a cédé la place à un froid polaire.

— Comment es-tu au courant ?

— J'ai lu ton mail, figure-toi. *Fiche-moi la paix, Meg.*

La phrase, sur le moment, m'avait paru cruelle. Dans ma bouche, elle n'est plus que pitoyable. Sur ses traits, la froideur est devenue révulsion.

— Qu'est-ce qui me dégoûte le plus ? murmure-t-il. Que tu aies lu les mails d'une morte ou que tu aies écrit de sa boîte ?

— À dégoûtant, dégoûtante et demie, je réplique comme une gosse dans un bac à sable.

Il me fixe en secouant la tête. Puis il s'en va. Son cher tee-shirt gît sur le plancher, triste guenille oubliée.

chapitre 7

Après le départ de Ben, j'ai besoin d'une bonne heure pour me calmer. Et d'une autre pour trouver le cran de rallumer l'ordinateur de Meg. McCallister a raison sur au moins une chose : j'ai parlé sans savoir. Il l'a dit sur un ton insinuant que Meg méritait qu'il se comporte comme un chien. Or je connais Meg. Et les mecs comme lui. J'en ai vu assez se succéder dans le lit de Tricia au fil des ans.

Je rouvre la messagerie et explore de nouveau le fichier d'expédition. Je ne retombe que sur ses premiers mails, ceux de novembre, sa participation au flirt, son avis quant aux musiciens écrivant les plus belles chansons, au meilleur batteur, au groupe le plus surfait, à celui le plus injustement ignoré. Peu avant les vacances de Noël, les échanges s'arrêtent. Il ne faut pas être grand clerc pour en deviner la raison : ils ont couché ensemble.

Puis il l'a larguée.

Ce qui est moins évident, en revanche, c'est ce trou béant dans la correspondance de Meg. Je suis certaine que nous nous sommes écrit cet hiver, même si c'était rarement. Pour vérifier que je n'invente rien, je me connecte à ma boîte personnelle. Elle contient bien des mails de Meg. En février, du moins. Il est vrai que janvier est plutôt creux. Curieusement, ils ne figurent plus dans sa boîte d'envoi.

Son ordinateur a-t-il été contaminé par un virus qui aurait effacé plusieurs semaines d'échanges ? Les a-t-elle stockés ailleurs ? J'entreprends de fouiller les autres applications. À l'aveuglette. Son calendrier est vide. Si la corbeille est pleine de trucs, la plupart de ceux que j'ouvre sont sans importance. Y figure un dossier sans titre. Quand j'essaie de l'ouvrir, l'appareil m'annonce que ce n'est pas possible à partir de la corbeille. Je le transfère sur le disque dur, recommence. Cette fois, le message me révèle qu'il est protégé. Craignant qu'il soit corrompu, je le remets à sa place initiale.

Il n'est que 21 h 30, je n'ai toujours rien mangé et j'ai soif, mais je n'ai pas envie de redescendre. Je me déshabille et me couche dans le lit hanté par le souvenir de Meg. En cet instant, son odeur sur les draps est exactement ce qu'il me faut. En y mêlant la mienne, je l'amoindrirai. Ça n'a pas vraiment d'importance, cependant. Entre nous, c'était toujours comme ça. Avant.

chapitre 8

Le lendemain matin, ce sont de petits coups à la porte qui me réveillent. Un beau soleil se déverse à flots par la fenêtre dont je n'ai pas baissé le store. Encore ensommeillée, je m'assois. De l'autre côté du battant, on insiste.

— Entrez ! je croasse.

C'est Alice. Qui, de nouveau, m'apporte une tasse d'un café sûrement récolté à la main par des nains nicaraguayens. Je me frotte les yeux, la remercie d'un borborygme.

— Quelle heure est-il ?

— Midi.

— Quoi ? J'ai dormi… quatorze heures !

— Oui, opine-t-elle en balayant la pièce du regard. Ça ne venait donc pas de Meg. Si ça se trouve, cette chambre a des effets soporifiques. Comme le champ de coquelicots du *Magicien d'Oz*.

— Pardon ?

— Meg roupillait drôlement, m'explique-t-elle. Presque tout le temps. Quand elle ne traînait pas avec (elle dessine des guillemets avec ses doigts) « ses super potes de Seattle », elle en écrasait.

— C'est… c'était une grosse dormeuse, oui. Elle brûlait tellement d'énergie le jour qu'elle devait recharger les batteries la nuit.

— Il n'empêche, répond Alice, sceptique, je n'ai jamais vu quelqu'un pioncer autant.

— Et puis, elle a eu une mononucléose en seconde.

Aussitôt remonte à la surface le souvenir pénible de cette année-là. Meg avait séché le lycée aussi souvent qu'elle l'avait fréquenté. Elle avait même été obligée de suivre des cours de rattrapage pendant des mois pour remonter la pente de sa moyenne.

— C'est ça qui aurait continué de l'épuiser ?

— Elle avait attrapé une vraie saleté.

Les Garcia m'avaient interdit leur maison, par crainte de la contamination.

— Ça ressemble plus au virus d'Epstein-Barr, alors, marmonne ma visiteuse avant de s'asseoir au pied du lit. J'ignorais qu'elle avait été malade. Je la connaissais mal, en fait.

— Parce que tu as emménagé ici il y a peu.

— Ça ne m'a pas empêchée de découvrir les autres. Qui n'étaient pas plus intimes avec Meg que moi, je pense. Elle était assez réservée.

Quand elle aimait quelqu'un, c'était pour la vie. Dans le cas contraire… elle ne tolérait pas les imbéciles.

— Elle demandait à être apprivoisée.

— J'ai essayé, figure-toi !

— Mouais… Cette pochette de disque sur sa porte n'est pas franchement une preuve d'amour, si ?

Les yeux d'Alice se remplissent de larmes. On dirait Bambi.

— Ce n'est pas nous qui l'avons scotchée, c'est elle ! Et les flics nous ont ordonné de ne toucher à rien.

Oh ! Les spécialistes ès suicide qualifieraient sans doute cette provocation de signe annonciateur, d'appel à l'aide. J'ai du mal à ne pas y voir son sens de l'humour tordu. Une ultime carte de visite, genre.

— C'est assez logique, finalement, je souffle.

— Ah bon ? Je trouve ça plutôt morbide, moi. Mais bon, j'en savais si peu sur elle, encore une fois. J'ai sans doute passé plus de temps avec toi qu'avec elle.

Son ton est mélancolique.

— J'aimerais te consoler en te disant que tu n'as pas loupé grand-chose, mais si.

— Parle-moi d'elle. Comment était-elle ?

— Comment ?

Alice m'encourage d'un signe de tête.

— Elle était...

J'écarte les bras pour tenter de montrer sa mesure, l'infini de possibilités qu'elle incarnait. Ce geste correspond-il à la réalité, cependant, ou à l'idée que je me faisais de Meg ? Alice affiche une moue si implorante que je cède. J'évoque l'été où Meg et moi avions décroché un boulot de démarcheuses téléphoniques, le plus rasoir qui soit à mon avis. Pour éviter l'ennui, justement, Meg s'amusait à adopter différentes voix. Elle était si douée et vendait de tels tombereaux de saletés qu'elle explosait ses objectifs de la journée en un rien de temps et était autorisée à rentrer chez elle plus tôt que nous autres.

Je lui parle de la fois où la bibliothèque avait vu son budget réduit au point de ne plus ouvrir que trois jours par semaine. Une véritable épine dans mon pied puisque, quand je n'étais pas chez les Garcia, je vivais quasiment là-bas. Bien qu'elle y soit moins assidue que moi, Meg s'était fixé pour mission de rétablir les anciens horaires. Elle s'était débrouillée pour qu'un groupe de Seattle ayant une réputation alors d'estime, aujourd'hui bien établie, l'un de ceux avec lesquels elle sympathisait *via* son blog, vienne donner un concert de charité. L'événement avait attiré des milliers de gens et rapporté douze mille dollars, ce qui était génial en soi. Mais parce que les musiciens étaient un peu connus, et que Meg était photogénique, des médias nationaux avaient couvert l'événement. Honteuse, la mairie avait fini par élargir les heures d'accueil.

Je raconte comment Scottie, enfant difficile à table, en était arrivé à faire de l'anémie. Le médecin avait prescrit des nourritures riches en fer. Sue était au désespoir, parce qu'il refusait d'avaler ce qu'elle lui proposait. Sachant que son frère était à l'époque passionné de tracteurs, Meg avait déniché sur eBay des moules en forme d'engins agricoles. Elle y avait mélangé des pommes de terre, de la viande et des épinards, et Scottie avait gobé le tout sans protester.

Il y avait aussi le jour où Tricia et moi avions eu la dispute du siècle. J'avais fugué pour rejoindre mon père, bien que Tricia m'ait assuré qu'il avait déménagé depuis des lustres. J'avais réussi à aller jusqu'à Moses Lake avant de me retrouver à court d'argent et de bravoure. J'étais sur le point de fondre en larmes, voire de me déliter complètement, quand Meg et Joe avaient surgi. Ils filaient le car depuis mon départ.

Cet épisode, je ne le confie pas à Alice, cependant. Ces histoires-là, on les garde pour les amis, les vrais. Or la seule que j'aie eue, je l'ai perdue.

— Voilà comment elle était, Meg. Rien ne lui résistait. Elle réglait les problèmes de tout le monde.

— Sauf les siens, chuchote Alice après un silence pensif.

chapitre 9

Le dernier show mortuaire en date de Megan Luisa Garcia se déroule sur un petit promontoire qui surplombe le Sound. Un guitariste et une violoniste jouent *Lumina* de Joan Osborne, quelqu'un lit des extraits du poète libanais Khalil Gibran. L'assistance est clairsemée, une vingtaine de personnes, aucune sur son trente et un. L'animateur est l'un des conseillers psychologiques rattachés à la fac mais, Dieu soit loué, il ne transforme pas le rassemblement en une conférence sur la prévention du suicide, nous épargne la liste des signes annonciateurs que nous aurions dû voir et que, clairement, aucun de nous n'a vu. Il parle du désespoir, de son développement sournois, l'une des raisons qui poussent les gens à passer à l'acte. En conséquence de quoi, celui que Meg laisse derrière elle doit être identifié et ressenti, y compris par ceux qui n'étaient pas ses intimes. Le bonhomme scrute ensuite l'assistance. Son regard s'arrête sur moi, bien que je ne l'aie jamais croisé et que je sois installée en retrait avec Alice qui m'a traînée ici (j'ai capitulé de mauvaise grâce et uniquement parce que je me sentais mal de l'avoir accusée pour la pochette des Poison Idea).

— J'ai conscience, reprend notre orateur, que nombreux sont ceux, parmi nous, qui ont des difficultés à comprendre le geste de Meg. Mal la connaître allège peut-être le fardeau, mais complique l'acceptation. On m'a informé de la présence de l'une de ses bonnes amies. Pour elle aussi, ce doit être une épreuve.

Je foudroie des yeux ma voisine la rapporteuse. Elle encaisse sans broncher.

— Si tu es d'accord, Cody, poursuit le G.O., j'aimerais que tu partages avec nous quelques-uns de tes souvenirs de Meg. Ou que tu nous racontes ce que tu vis en ce moment.

— Pas question ! je siffle à Alice, qui me contemple avec une innocence feinte.

— Tu m'as rudement aidée, tout à l'heure. J'ai pensé que tu pourrais soulager les autres. Et toi par la même occasion.

À présent, je suis dans la ligne de mire. Alice me donne un coup de coude dans les côtes.

— Parle-leur de la bibliothèque. Les tracteurs.

Quand je finis par me résigner, ce n'est pas cela que j'évoque, cependant.

— Ainsi, vous aimeriez en apprendre plus sur Meg ?

Ma question est rhétorique, mon ton d'une ironie assassine. Toutefois, ces malheureux agneaux opinent comme un seul homme afin de m'inciter à poursuivre.

— Meg était ma meilleure amie. Je croyais que nous étions tout l'une pour l'autre. Que nous ne nous cachions rien. En vérité, nous étions deux étrangères.

Un affreux goût métallique envahit ma bouche. Je m'en régale pourtant, comme on se délecte de la saveur de son sang après avoir perdu une dent.

— Je ne savais rien de son quotidien ici. Rien de ses cours. Rien de ses colocataires. J'ignorais qu'elle avait recueilli deux chatons malades et les avait soignés pour mieux les abandonner. Qu'elle fréquentait les bars de Seattle, qu'elle y avait des copains, qu'elle s'éprenait de types qui lui brisaient le cœur. Moi, sa supposée confidente, j'étais dans le noir complet. Parce qu'elle ne m'en avait pas soufflé mot. Comme elle m'a dissimulé que son existence était une intolérable souffrance. Je ne me doutais de rien.

Une sorte de rire étranglé m'échappe. Je pressens que si je ne fais pas très attention, je ne vais pas avoir envie d'entendre ce qui va suivre. Ni moi ni personne d'ailleurs.

— Est-il concevable de louper tant d'éléments de la vie de sa meilleure amie ? Même si elle les camoufle, on devrait les deviner, non ? Comment a-t-on pu l'imaginer belle, formidable et magique alors qu'elle allait tellement mal qu'elle s'est sentie obligée d'absorber un poison qui a privé ses cellules de leur oxygène jusqu'à ce que son cœur n'ait d'autre choix que de cesser de battre ? Alors, s'il vous plaît, ne me demandez pas de parler de Meg. Parce que je suis foutrement mal placée pour le faire.

Quelqu'un étouffe un cri. Je contemple l'assistance nimbée de soleil. La journée est splendide, lourde de promesses printanières. Ciel pur, nuages vaporeux, parfum sucré des fleurs porté par la brise. Qu'il existe de tels jours me révulse. Le printemps ne devrait pas éclore. Quelque part au fond de moi, je pensais qu'il resterait hiver, cette année. Dans le public, des gens pleurent. Par ma faute. Je suis toxique. Buvez-moi et mourez.

— Pardon, je murmure.

Je décampe, je traverse la pelouse à toutes jambes en direction de la route, je sors de ce parc, je fonce dans la rue principale. Il faut que je quitte cet endroit. Tacoma. Le monde de Meg. J'entends qu'on court derrière moi. Alice sans doute, Richard le roi du pétard, peut-être. N'ayant rien à leur dire, je continue de galoper. Malheureusement, mon poursuivant se révèle plus rapide que moi. Une main se pose sur mon épaule. Je me retourne d'un bloc.

Ses yeux, aujourd'hui, ont la teinte presque violette du firmament après le coucher du soleil. C'est la première fois que je croise quelqu'un dont la couleur des iris varie comme s'ils étaient liés aux humeurs de son âme. Pour peu qu'il en ait une, bien sûr.

Hors d'haleine, nous nous dévisageons.

— Je peux t'en raconter. Des choses. Si tu veux.

De nouveau, sa voix est proche du feulement. Y pointe cependant une sorte d'hésitation.

— Oh, je t'en prie, épargne-moi ces détails-là.

— Pas ça. D'autres trucs. Si ça te dit. Sur sa vie ici.

— Quoi donc, puisque, elle et toi, c'était une histoire sans lendemain ?

— Allons discuter ailleurs, suggère-t-il avec un geste du menton en direction du centre-ville.

— Et puis d'abord, qu'est-ce que tu fabriques ici ?

— Sa coloc m'a refilé le prospectus sur la réunion.

Ça ne répond pas vraiment à ma question, ça. Je ne bouge pas. Lui non plus.

— Viens, insiste-t-il. Marchons et causons.

— À quoi bon ? Peux-tu m'expliquer pourquoi elle s'est tuée ?

Il recule. Comme on parle du recul d'une arme. Comme l'autre soir au bar. Comme si une force invisible le tirait en arrière. La seule différence, c'est que, cette fois, ce n'est pas la colère que je lis sur ses traits.

— Non.

Nous cheminons un bon moment avant d'échouer au McDo. J'ai la fringale, soudain. J'ai faim d'aliments qui ne soient ni végétariens ni bio ni sains. Qui soient seulement le pain quotidien du malheur. Après avoir commandé chacun un Maxi Best Of, nous nous installons à une table tranquille, près de l'aire de jeux désertée. Nous déjeunons en silence, d'abord. Puis Ben se lance.

Il me dépeint l'arrivée de Meg dans le milieu indé, nouant aussitôt des amitiés avec des tas de musiciens locaux. Voilà qui lui ressemble bien. Il me dépeint la facilité avec laquelle elle s'est intégrée, étudiante de dix-huit ans originaire de Plouc-la-ville, à l'est de l'État de Washington, mais à l'aise partout et obtenant de chacun qu'il lui mange dans la main. Voilà qui lui ressemble encore plus. Au début, il l'a jalousée, parce que lorsque lui avait débarqué de Bend, dans l'Oregon, deux ans auparavant, il avait eu le sentiment que la communauté artistique le bizutait avant de l'autoriser à jouer dans sa cour. Il me dépeint les disputes pour de rire qu'elle et lui avaient à propos du meilleur batteur (Keith Moon ou John Bonham), du meilleur guitariste (Jimi Hendrix ou Ry Cooder), du groupe composant les chansons les plus entraînantes (Nirvana ou les Rolling Stones). Il me dépeint le jour où elle a recueilli les chatons, dont elle avait repéré les miaulements, en provenance d'une boîte posée près d'une poubelle, vers le refuge pour sans-abri du centre de Tacoma où elle travaillait quelques heures par semaine. Elle les avait tirés de ce mauvais pas, les avait portés chez le véto, avait dépensé des centaines de dollars pour les guérir. Il me dépeint son culot, quand elle avait tapé les musiciens les plus célèbres de Seattle pour l'aider à payer le traitement. Là encore, ça lui ressemble. Elle avait nourri les chats avec une pipette remplie de lait pour bébé, parce qu'ils tétaient encore. C'est cette image, parmi toutes celles qui m'apparaissent au fil de ce récit, celle de Meg alimentant de petits chats orphelins mal en point à force de cajoleries, qui me fait monter les larmes aux yeux. Je leur interdis de déborder.

— En quel honneur est-ce que tu me racontes tout ça ?

À présent, plus que lui, c'est moi qui parais feuler. Son paquet de cigarettes est sur la table. Au lieu de fumer, il joue avec son briquet, qu'il allume et éteint nerveusement.

— Parce que j'ai eu l'impression que tu en avais besoin, répond-il sur un ton presque accusateur.

— Mais pourquoi faut-il que ça vienne de *toi* ?

La flamme illumine un instant ses yeux. J'en profite pour découvrir que la culpabilité a des dizaines de nuances différentes. La sienne, comme la mienne, est teintée du rouge ardent de la fureur, plus brûlant que le feu avec lequel il s'amuse.

— Elle parlait de toi, tu sais ?

— Ah bon ? Eh bien, le contraire n'est pas vrai.

Je mens. Je préférerais cependant me couper un doigt plutôt que lui donner la satisfaction d'apprendre qu'elle lui avait attribué un sobriquet. Et à ce propos, le plus tragique des deux n'a pas été lui.

— Par exemple, le coup du type qui t'a pincé les fesses alors que tu faisais le ménage chez lui. Tu lui as tordu le bras avec une telle dextérité qu'il a piaillé comme un goret et t'a augmentée.

M. Purdue. Dix dollars supplémentaires par semaine. Voilà ce qu'il en coûte de me peloter sans autorisation.

— Elle te surnommait Buffy.

C'est ça, plus que l'anecdote concernant Purdue, qui me convainc. Meg lui a effectivement parlé de moi. Elle m'appelait Buffy quand elle me trouvait particulièrement teigneuse, à l'instar de l'héroïne de *Buffy contre les vampires*. Elle se réservait le rôle de Willow, la copine sorcière. Elle se trompait. Elle était les deux,

Buffy et Willow. La force et la magie réunies en une seule personne. Je me contentais des miettes d'aura qui rejaillissaient sur moi. Je suis contrariée que Ben soit au courant de cette intimité, aussi gênante que des photos de moi bébé. Il n'a pas gagné ce droit, à mon avis.

— Elle t'en a dit beaucoup, pour un rencard d'une nuit.

Il affiche une mine peinée. Quel comédien, ce Ben McCallister !

— Nous étions amis.

— Je ne crois pas que « amis » soit le mot juste pour ce genre de relation.

— Je te jure que si. Avant que ça tourne en eau de boudin.

Les mails. La drague. Les discussions sur le rock. Le changement brutal.

— Que s'est-il passé ?

Je pose la question, bien que je sache à quoi m'en tenir. Il n'empêche, sa réponse me choque.

— On a baisé.

— Vous avez couché ensemble, je corrige. Meg n'aurait jamais *baisé* qui que ce soit.

De cela au moins, je suis certaine. Après ce qui lui était arrivé cette fameuse première fois, elle n'aurait pas cédé à un garçon pour lequel qu'elle n'éprouvait rien.

— OK. Disons que je l'ai baisée, alors. Et baiser une amie, c'est tout gâcher.

Il rallume son briquet, l'éteint.

— Je me doutais que ça finirait comme ça, et pourtant, je l'ai fait, poursuit-il.

Sa franchise est à la fois répugnante et fascinante. Comme lors d'un accident de la circulation : on ne peut pas s'empêcher de reluquer, quand bien même on devine qu'on en aura des cauchemars.

— Pourquoi ?

Il soupire, secoue la tête.

— Tu connais la chanson. Tu es pris dans l'instant, tu baisses la garde, tu ne penses pas au lendemain.

Il me regarde. Le problème, c'est que la chanson, je ne la connais pas. La plupart de mes relations seraient sans doute surprises, mais je ne l'ai pas encore fredonnée. Quand votre seul avenir se résume à grossir le troupeau des pauvres blancs, vous tâchez de ne pas répéter les erreurs familiales. Même si, le plus souvent, l'histoire semble se répéter avec une implacable régularité. Pour ce qui me concerne, j'estime inutile de sceller mon destin en me tapant un des losers de Plouc-la-ville. Ce que je ne précise pas à Ben, cependant, me bornant à fixer l'aire de jeux.

— Ça n'est arrivé qu'une fois, reprend-il. Il n'en a pas fallu plus pour que tout parte en cacahuète.

— Quand ?

— J'ai oublié. Vers Thanksgiving. Pourquoi ?

Logique. Le message de Meg rappelant le conseil de ne pas s'envoyer le barman m'était parvenu avant le pont. Mais les chatons ? Elle les avait trouvés après les vacances de Noël. Quant au geste déplacé de Purdue, il s'était produit en février, quelques semaines à peine avant le suicide de Meg.

— Comment es-tu au courant des détails récents de sa vie, dans ce cas ? Comme les chats ou moi ?

— Je croyais que tu avais lu ses mails ?

— Quelques-uns seulement.

— Tu n'as donc pas vu tout ce qu'elle m'a envoyé ? marmonne-t-il en grimaçant.

— Une bonne partie de sa correspondance a disparu. De janvier à huit jours avant sa mort, en gros.

— As-tu apporté un ordi ? demande-t-il, surpris.

— Il y a celui de Meg. Dans sa chambre.

Il réfléchit un moment.

— Allons-y, décrète-t-il ensuite en froissant les emballages de nourriture.

De retour à la colocation, il se connecte sur sa messagerie, classe ses mails par ordre alphabétique. Ceux de Meg occupent un écran complet. Il se lève, me laisse la chaise du bureau. Pince-moi bondit dans la pièce et entreprend de faire ses griffes sur les cartons. Je commence avec les plus anciens échanges. Les badinages séducteurs, les disputes sur Keith Moon et les Rolling Stones. Je connais.

— Continue, m'invite Ben quand je lève les yeux dans sa direction.

J'obtempère. Le flirt monte en puissance, et leurs missives s'allongent ; ils font l'amour, et tout bascule. Comme si un trait noir épais soulignait ce changement dans leurs relations. Les écrits de Ben se font distants ; ceux de Meg, désespérés. Puis carrément bizarres. Ils le paraîtraient peut-être moins si j'en avais été la destinataire. Sauf qu'ils ont été adressés à Ben, un type avec lequel elle avait couché une fois. Elle lui en a raconté des tonnes, lui a dévoilé toute sa vie, pas que les chats et moi. On dirait un journal intime. Plus il essayait de la repousser, plus elle se répandait sur elle-même. Sans être dupe, cependant. Elle était lucide quant à la situation entre eux et l'étrangeté de son comportement, car plusieurs confessions, certaines longues de huit ou dix pages, se terminent sur le besoin d'être rassurée : *On est toujours amis, hein ?* Comme si elle lui demandait l'autorisation de se livrer avec autant d'impudeur. Je suis gênée par ce déballage. Gênée pour elle aussi. Est-ce la raison pour laquelle elle l'a finalement effacé ?

Ça continue ainsi sur plusieurs semaines, tous les deux ou trois jours. Il est impossible de tout lire. Pas uniquement parce qu'il y en a trop ; également parce qu'une boule atroce se forme dans mon ventre. Des allusions aux textos qu'elle lui a envoyés et aux coups de fil qu'elle lui a passés m'amènent à interroger Ben sur leur rythme. Il garde le silence. Je tombe sur l'un des derniers messages qu'il lui a expédiés : *Trouve quelqu'un d'autre à qui parler.* Très peu de temps après : *Fiche-moi la paix.* Je repense alors à l'ultime mail de Meg : *Je ne t'embêterai plus.*

Débordée, j'arrête là. Ben me dévisage avec une douceur qui me dérange. Je préférais le connard prétentieux qui se pavanait l'autre soir. Je désire le haïr ; je ne veux pas qu'il me couve de ce regard tendre. Qu'il ait l'air vulnérable, presque en manque d'affection, comme si c'était *lui* qui avait besoin d'être rassuré. Surtout, je ne veux pas de sa générosité, qu'il me propose par exemple de me débarrasser des chatons. Ce qu'il fait pourtant. Je le toise, genre : *Tu te prends pour qui ?*

— Je les laisserai à ma mère à ma prochaine visite à Bend, dans l'Oregon. C'est un vrai zoo, chez elle. Elle ne rejettera pas deux réfugiés supplémentaires.

— Et en attendant ?

— Je partage une maison à Seattle. Il y a un jardin, mes colocs sont végétaliens et complètement accros à la défense animale. Ils ne protesteront pas, par crainte que je les traite d'hypocrites.

— C'est quoi, ta motivation, là ?

De la provocation gratuite de ma part. J'ai besoin de trouver un foyer à ces bestioles. Il est la seule solution à portée de main. Et si j'apprenais à me taire ?

— Il me semble que je viens de te la donner, grommelle-t-il.

La raucité a resurgi, et j'en suis soulagée. À sa manière de regarder partout ailleurs que dans ma direction, je devine qu'il a conscience de ne pas avoir vraiment répondu à ma question. Et à ma façon de regarder partout sauf dans sa direction, je comprends que ça m'est plutôt égal.

Le lendemain matin, Ben passe chercher les chats, alors que j'achève de scotcher les cartons. Je place Pince-mi et Pince-moi dans leur caisse, rassemble leurs joujoux et lui remets le tout.

— Où vas-tu ? me demande-t-il.

— Chez UPS puis à la gare routière.

— Je peux te déposer.

— Ça ira, merci. Je prendrai un taxi.

L'un des félins miaule.

— Ne dis pas de bêtises. Tu ne vas pas payer deux courses.

Je redoute vaguement qu'il renonce soudain à son offre de recueillir les chats, que ce soit pour cela qu'il ait suggéré de m'emmener. Mais il charge déjà les sacs dans le coffre, et la caisse à l'arrière. Sa voiture est sale, jonchée de canettes vides de Red Bull, et elle empeste la clope. Un gilet orné de perles est roulé en boule sur la banquette.

Le colocataire mystère de Meg, Harry Kang, nous aide avec les cartons. Quand nous en avons terminé, et bien que nous n'ayons pas échangé deux mots durant mon séjour, il attrape ma main et me déclare :

— Dis aux parents de Meg que ma famille prie pour eux tous les jours, s'il te plaît.

Il me dévisage un instant et ajoute :

— Je lui demanderai de prier pour toi aussi.

J'ai eu droit à pas mal d'idioties de ce style depuis la mort de Meg. Pourtant, ces paroles, inattendues de sa part, me serrent la gorge.

Pince-mi et Pince-moi piaillent tout le long du trajet jusqu'à UPS, où Ben patiente avec eux dans la voiture, pendant que j'expédie les cartons. Puis il me conduit à la gare routière. J'attraperai le car de 13 heures. Je serai rentrée à temps pour le dîner. Non qu'il y en aura un tout prêt à m'attendre. Les chats n'arrêtent pas de protester, là encore. Quand nous parvenons à destination, à l'odeur, il semble que l'un d'eux se soit fait pipi dessus. À ce stade, je ne doute plus que Ben va m'annoncer qu'il a changé d'avis et que sa proposition n'était qu'une façon de se venger de mon mail à propos de son tee-shirt. Mais non. Quand je pousse la porte de la gare, il murmure :

— Prends soin de toi, Cody.

Tout à coup, j'ai mal d'abandonner les chatons. La perspective de regagner mon trou m'afflige. J'ai beau vouloir mettre un maximum de distance entre Ben McCallister et moi, à présent que ce vœu se réalise, je me rends compte que partager mon fardeau avec quelqu'un a été une délivrance.

— Ouais. Toi aussi. Que la vie te soit douce.

Je regrette aussitôt ces mots, trop ironiques, désinvoltes. Même si, sans doute, on ne peut guère souhaiter mieux à quiconque.

Chapitre 10

Le car crève en pleine montagne, je rate ma correspondance à Ellensburg et n'arrive à la maison qu'à minuit passé. Je dors jusqu'à 8 heures, pars récurer la maison des Thomas, puis trimballe les deux sacs de Meg jusque chez les Garcia. Je sonne – une première. Scottie m'ouvre. Je lui demande comment ça va, ce dont j'aurais pu m'abstenir, vu que des arômes de beurre chaud envahissent le vestibule.

— Des cupcakes, m'annonce-t-il.

— Chouette ! je réponds, pitoyable tentative pour le réconforter.

— Je ne pensais pas dire ça un jour, soupire-t-il, mais j'aurais préféré des brocolis.

Lorsque j'entre dans le salon, Joe et Sue marquent un instant d'hésitation. Comme si je ne leur ramenais pas les vêtements et les livres de la disparue, mais Meg en personne. Puis ils s'approchent, me remercient, et Sue se met à pleurer sans bruit. C'est insupportable. Je sais qu'ils m'aiment. Sue m'a depuis longtemps confié qu'elle me considérait comme sa fille. Sauf que, maintenant qu'elle n'en a plus, la situation a changé. Je me tourne vers Scottie. Si c'est dur pour moi, c'est pire pour lui. Alors, comme si j'étais venue avec une hotte pleine de cadeaux, je lance :

— Et qu'est-ce que le père Noël t'a apporté, à toi ?

Mes efforts font un flop. Je tire le portable de mon sac à dos et le tends à Joe et Sue. Ils échangent un regard, secouent la tête.

— Nous en avons discuté entre nous, souffle Joe. Nous voulons que tu le gardes.

— Moi ? Non, non.

J'en connais le prix faramineux.

— S'il te plaît, insiste Sue. Ça nous ferait plaisir.

— Mais Scottie ?

— Il a dix ans, répond Joe. Nous avons un ordinateur familial. Il a tout le temps d'avoir le sien.

Le visage de son épouse se brise, comme si elle ne croyait plus aux promesses du temps. Elle se ressaisit, cependant, enchaîne :

— Et puis, tu en auras besoin quand tu iras à l'université.

J'acquiesce, et nous faisons tous semblant d'imaginer que ça arrivera.

— C'est trop, j'objecte.

— Prends-le, Cody !

C'est presque avec sévérité que Joe s'est exprimé. Je comprends alors que m'offrir ce portable n'est pas vraiment un cadeau de leur part. Que je l'accepte en est peut-être un, en revanche.

Quand j'annonce que je m'en vais, Sue m'emballe une dizaine de cupcakes. Ils sont recouverts d'un glaçage rose et or, des teintes qui évoquent douceur et joie. Même la nourriture ment, maintenant. Scottie profite de mon départ pour sortir Samson et m'accompagner sur la moitié du chemin.

— Désolée pour l'ordi, Avorton.

— Pas grave. Je jouerai sur la DS.

— Il faudra que tu viennes à la maison m'apprendre un de tes jeux.

Il me dévisage avec gravité.

— D'accord. Mais tu n'auras pas le droit de me laisser gagner. C'est le cas des copains, j'ai l'impression. Parce que je suis le frère de la morte.

— Pas de souci. Je suis la meilleure amie de la morte, on joue donc à égalité. Ce qui m'autorise à te botter le train jusqu'à ce que tu cries grâce.

Pour la première fois depuis cent mille ans, il sourit.

Chez nous, Tricia est en train de réchauffer un plat tout préparé au micro-ondes.

— Tu en veux ? s'enquiert-elle.

Le summum de l'amour maternel, chez elle.

Pendant que nous avalons nos repas chinois, je lui montre le portable. Impressionnée, elle le caresse du bout des doigts. Éprouve-t-elle de la rancœur envers les Garcia qui, une fois encore, m'ont offert ce qu'elle est incapable de me donner ? Cet appareil onéreux, qui s'ajoute aux dîners, aux week-ends camping en famille, à tout ce dont ils m'ont comblée pendant qu'elle s'échinait au travail ou était de sortie avec l'un de ses multiples petits amis.

— Je me suis toujours demandé comment fonctionnaient ces machines, murmure-t-elle.

— Je n'en reviens pas que tu ne saches pas encore te servir d'un ordi.

— Je fais ce que je peux, se défend-elle avec un haussement d'épaules. Et puis, je sais envoyer des textos. Raymond m'a appris.

Je ne l'interroge pas au sujet de ce Raymond. Je n'ai pas besoin de connaître le dernier en date. Tricia ne s'embête pas à les inviter à la maison ni à me présenter, à moins que le hasard m'amène à les croiser. C'est tout aussi bien. En général, ils la larguent avant que j'aie réussi à mémoriser leur prénom.

Nous terminons de manger. Tricia refuse un cupcake, parce qu'ils font grossir. Comme je n'en ai pas envie non plus, elle repêche des esquimaux basses calories, anciens mais encore consommables.

— Et les chats ? lâche-t-elle sans crier gare.

— Pardon ?

— Tu voulais bien en rapporter ici, non ? C'est une manière de combler le vide laissé par Meg ?

Je m'étrangle avec ma glace.

— Non.

Sur le coup, je manque de lui raconter, parce que j'aimerais parler des chatons de Meg et de sa vie là-bas dont j'ignorais tout. Malheureusement, je suis presque sûre que les Garcia n'en savent rien non plus. Or nous habitons une petite ville. Si je mentionne Pince-mi et Pince-moi à Tricia, elle ira répéter l'information à quelqu'un, et ça reviendra aux oreilles de Joe et Sue. Aussi, j'élude.

— Ce n'étaient que deux animaux en détresse.

Tricia secoue la tête.

— On ne peut pas recueillir tous les chiens perdus sans collier qui défilent.

À son ton, on croirait que des malheureux n'arrêtent pas de frapper à notre porte, en quête d'un endroit joli, sec et chaleureux où passer la nuit. Alors que c'est elle et moi qui errons sans port d'attache.

chapitre 11

Un conseiller pédagogique du centre universitaire me laisse un message dans lequel il m'annonce que la direction, consciente des « circonstances atténuantes » qui sont les miennes, me propose un rendez-vous afin qu'il m'aide à trouver une solution à ma situation scolaire. Madison, une fille qui suit les mêmes cours que moi, m'en laisse un autre dans lequel elle s'inquiète de ma santé. Je ne réponds à aucun des deux. Je reprends le boulot, décroche quelques heures supplémentaires, soit en tout six clients hebdomadaires qui m'assurent des revenus corrects. Le portable de Meg prend la poussière sur mon bureau en compagnie de mes manuels. Un après-midi, on sonne. Scottie se tient sur le porche, Samson est attaché à la rambarde.

— J'ai décidé d'accepter ton offre de me botter le train, déclare-t-il.

— Entre.

Nous allumons l'ordinateur.

— À quoi joue-t-on ? je demande.

— Je pensais commencer par Soldier of Solitude.

— Qu'est-ce que c'est ?

— Je vais te montrer, dit-il en cliquant sur l'icône d'Internet. Hum… (Il bricole à droite et à gauche.) Je ne trouve pas le réseau. Il faut sûrement relancer la box.

— Je n'en ai pas, Scottie. Nous ne sommes pas connectées.

Il me dévisage avec surprise avant de regarder autour de lui comme si, soudain, il se rappelait qui je suis. Qui est Tricia.

— Oh, ce n'est pas grave, marmonne-t-il, en attirant le portable à lui. On n'a qu'à jouer sur la bécane. Voyons un peu ce qu'elle a dans le ventre.

— Pas grand-chose à mon avis. Tu connaissais Meg.

Pour un peu, nous échangerions un sourire. Elle détestait les jeux vidéo, estimait qu'ils détruisaient des neurones précieux. Comme par hasard, l'ordinateur n'en contient aucun, si ce n'est les divertissements habituels fournis avec l'environnement de base.

— On pourrait faire un solitaire, je suggère.

— Ça ne se joue pas à deux, riposte Scottie. Sinon, on ne l'appellerait pas solitaire.

L'échec de notre plan me donne le sentiment de le trahir. J'entreprends de refermer l'engin, il m'en empêche.

— C'est de cet ordi qu'elle a expédié sa note ?

Scottie a dix ans. Je suis sûre qu'aborder ce sujet avec lui n'est pas sain. Pas en ma compagnie, en tout cas. Je repousse sa main, rabaisse le volet supérieur de la machine.

— Personne ne me dit rien, Cody ! s'exclame-t-il d'une voix plaintive.

Je me souviens de l'au revoir que lui a envoyé Meg. Précisément de cet appareil-là.

— Oui, j'admets. Elle a utilisé ce portable.

— Je peux la lire ?

— Scottie…

— Tout le monde cherche à protéger mon innocence et des âneries de ce genre. Mais je te rappelle que ma sœur a avalé du poison. Il est un peu tard pour ça, non ?

Je soupire. J'ai rangé une copie de la lettre d'adieu de Meg dans la boîte, sous mon lit. Ce n'est pas elle que réclame Scottie, cependant. Il l'a déjà vue, lue, en a entendu parler. Ce qu'il veut, c'est l'original. J'ouvre la boîte d'envoi. Je lui montre le message. Qu'il déchiffre en plissant les yeux.

— Ça ne t'a pas paru bizarre qu'elle écrive que la décision lui « appartient entièrement » ?

Je secoue la tête. Non.

— C'est que, enchaîne-t-il, quand les parents nous attrapaient pour des bêtises et qu'elle voulait m'éviter les ennuis, c'est ça qu'elle leur disait. Genre : « Scottie n'a rien fait. La décision m'appartient. »

Me reviennent en mémoire les manigances dans lesquelles Meg entraînait son frère et dont elle devait le tirer ensuite. Elle en endossait toujours la responsabilité, acceptait les punitions. Qu'elle méritait amplement, en général. Toutefois, j'ai du mal à saisir ce qu'essaie de me dire Scottie. Alors, le gamin de dix ans l'énonce clairement :

— Comme si elle protégeait quelqu'un.

chapitre 12

Après le départ de Scottie, je relis la correspondance de Meg. La partie manquante me tracasse. Ses motivations m'échappent. Pourquoi avoir seulement supprimé les mails envoyés, pas ceux reçus ? À moins qu'elle en ait jeté aussi et que je ne les aie pas détectés ? Pourquoi a-t-elle choisi ces six semaines en particulier ? Qu'a-t-elle effacé d'autre ? Y a-t-il moyen de retrouver cette correspondance ou sa disparition est-elle définitive ? Je n'en ai pas la moindre idée et je ne connais personne qui saurait résoudre ce problème.

Puis, brusquement, je repense à Harry Kang. Il est étudiant en informatique. Je cherche le bout de papier sur lequel Alice a griffonné son numéro de téléphone. Comme elle ne décroche pas, je laisse un message la priant de demander à Harry de me contacter.

Le lendemain à 7 h 45, je suis réveillée par la sonnerie de mon portable.

— Allô ? je marmonne d'une voix ensommeillée.

— Ici, Harry Kang.

Je me redresse d'un bond.

— Oh, Harry ! Salut ! C'est Cody.

— Je sais, puisque c'est moi qui te téléphone.

— Euh… bien sûr, oui. Merci, d'ailleurs. Écoute, tu vas peut-être réussir à m'aider. J'essaie de récupérer des mails qui ont été effacés d'une messagerie.

— Tu m'appelles parce que ton ordi a planté ?

— Pas le mien. Celui de Meg. Elle a tenté de supprimer des dossiers. Je voudrais les retrouver.

Il réfléchit pendant quelques instants.

— Quel genre de dossiers ?

Je lui parle de la quantité de mails envoyés et des éventuels autres échanges que je soupçonne Meg d'avoir fait disparaître.

— Il existe des programmes, pour ça, dit-il. Mais elle avait sûrement de bonnes raisons. Ne devrions-nous pas respecter son intimité ?

— Si. Sauf qu'une phrase dans sa lettre d'adieu m'incite à croire qu'elle pourrait ne pas avoir agi seule. Et puis, cette correspondance zappée, c'est bizarre.

Nouvelle pause.

— Quelqu'un l'aurait forcée à se tuer ?

Est-il possible d'obliger une personne à avaler du poison ?

— Aucune idée. C'est pour ça que je m'efforce de récupérer ce qu'elle a jeté. Il y a un dossier dans la corbeille. C'est peut-être ça ? Mais il refuse de s'ouvrir.

— Que se passe-t-il quand tu cliques dessus ?

— Une seconde.

J'allume le portable, transfère le fichier sur le disque dur. Quand je tente de le débloquer, le message de protection s'affiche. Je le lis à Harry.

— Essaie ça.

Il me dicte une série de frappes compliquées. Sans résultat.

— Hum… marmonne-t-il.

Il me donne une autre marche à suivre. *Idem.*

— L'encodage a l'air assez sophistiqué, diagnostique-t-il. Le responsable connaissait son affaire.

— Il est définitivement irrécupérable, alors ?

— Non, s'esclaffe Harry. Rien n'est jamais irrécupérable. Si j'avais l'appareil sous la main, je finirais sûrement par réussir à décrypter ce dossier. Envoie-le-moi, si tu veux. Mais vite, parce que les cours se terminent dans quinze jours.

Je porte l'ordinateur à la pharmacie, au fond de laquelle est installé un service d'expédition tenu par Troy Boggins, un camarade du lycée dans la classe supérieure à la mienne.

— Salut, Cody ! me lance-t-il de sa voix aux intonations traînantes. Où te cachais-tu ?

— Je ne me cachais pas, je bossais.

— Ah ouais ? Où ça ?

Il n'y a pas de honte à être femme de ménage. C'est un métier honnête qui me rapporte assez, sans doute plus que ce que Troy gagne ici. Mais lui n'a pas passé toute sa scolarité à affirmer à qui voulait l'entendre que, sitôt l'encre de son diplôme sèche, il ficherait le camp de ce trou. Moi non plus, d'ailleurs. Meg, si. Et, comme la plupart de ses projets, je l'ai adopté. Elle est partie, pas moi. Comme je garde le silence, Troy m'annonce que mon envoi me coûtera quarante dollars à l'aller et autant au retour.

— Plus, si tu prends une assurance, précise-t-il.

Quatre-vingts dollars ? C'est le prix du ticket de car. Le week-end approche, j'ai l'argent de mes nouvelles heures. Autant me rendre à Tacoma moi-même. Et puis, j'aurai les réponses à mes questions plus vite ainsi.

— Pas de souci, acquiesce Troy quand je décrète que j'ai changé d'avis.

Je tourne les talons pour m'en aller.

— Hé ! m'apostrophe-t-il. Ça te dirait de sortir, un de ces soirs ? Boire une bière, genre ?

Troy Boggins est le prototype d'homme avec lequel Tricia fricoterait s'il avait quinze ou vingt ans de plus. Je n'existais pas à ses yeux, au lycée. Ce soudain intérêt devrait me flatter. Au lieu de quoi, j'y vois une menace. Comme si, maintenant que Meg n'est plus à mon côté, celle que je suis vraiment se révélait au grand jour. Celle que je suis, celle que j'ai toujours été, au fond.

Quand j'informe Tricia que je repars à Tacoma pour le week-end, elle me regarde avec curiosité. Pas qu'elle envisage de me l'interdire. J'ai dix-huit ans, après tout. Et même si je ne les avais pas, elle n'a jamais été cette sorte de mère.

— Un garçon ? s'enquiert-elle.

— Quoi ? Non ! Pourquoi poses-tu cette question ? Ça concerne Meg.

Elle plisse les yeux et renifle, comme si elle tâchait de capter une odeur qui émanerait de moi. Puis elle me donne un billet de vingt pour le trajet.

J'envoie un texto à Alice pour la prévenir que j'arrive et demander si je peux dormir chez eux. Elle accompagne sa réponse d'une tonne de points d'exclamation, à croire que nous sommes les meilleures amies au monde. Elle sera absente samedi, prise par sa convention de stage, mais on se verra le dimanche. J'avertis également Harry, qui promet de s'attaquer au problème sur-le-champ et me confie son impatience.

J'arrive tard à Tacoma, mais le canapé a été préparé pour moi. Je m'y écroule et dors comme un bébé. Le lendemain, Harry m'invite dans sa chambre. Cinq ordinateurs y ronronnent. Nous allumons celui de Meg, et le petit génie ouvre sa messagerie.

— Je ne suis pas certain de réussir à récupérer les mails effacés, m'annonce-t-il au bout d'un moment. Son programme suit le protocole IMAP. Ça signifie qu'une fois qu'elle a supprimé ses échanges, ils disparaissent du serveur.

J'opine comme si je saisissais. Ensuite, il clique sur le dossier protégé.

— Celui-là aussi, elle devait vouloir l'effacer, commente-t-il. Sauf que, pendant la manœuvre, l'encodage a été endommagé. Conséquence, la machine n'a pas pu s'en débarrasser.

— Comment ça ?

— Tu l'as trouvé dans la corbeille, n'est-ce pas ?

— Oui.

— Elle a sans doute tenté de la vider, sauf que…
regarde.

Il sélectionne l'onglet *Vider la corbeille.*

— Non ! je crie.

D'une main, il m'impose le silence. Des éléments disparaissent, puis un message d'erreur affiche : *L'opération a échoué à cause de l'objet « Dossier inconnu » en cours.*

— J'ai mis de faux fichiers dedans pour vérifier qu'ils s'effaçaient. Ils l'ont fait, mais pas celui-ci. Et ne te bile pas, je l'ai déjà copié sur l'un de mes ordis. En tout cas, j'en suis presque certain : elle souhaitait s'en débarrasser et n'y est pas parvenue.

— Oh…

— Il est clair qu'elle ne tenait pas à ce que d'autres qu'elle le lisent. Tu es sûre de vouloir continuer ?

Je secoue la tête, n'étant sûre de rien.

— La question n'est pas là, je murmure.

— OK. Cet aprèm, je suis pris par mon groupe de prières. Je vais bosser là-dessus tout de suite et je continuerai ce soir. Je te préviens, ça risque de prendre un peu de temps.

Je vais pour m'excuser de l'embêter comme ça lorsque je décèle une lueur enthousiaste dans ses yeux. Je viens de lui offrir le plus beau casse-tête qui soit, apparemment. Ravalant ma contrition, je le remercie.

— Comment vont les chats ? me demande-t-il ensuite.

— Aucune idée. Ce garçon, Ben, les a emportés chez lui.

— Il vit bien à Seattle, non ?

— C'est ce qu'il m'a dit, oui.

— Si ça te tente d'aller les voir, l'assoce des jeunes de ma paroisse va là-bas tout à l'heure. Nous repeignons une MJC. On pourrait t'emmener.

— Ce sont des chatons, Harry, pas des bébés. Et puis, ils ne sont sûrement plus là-bas. Il comptait les donner à sa mère.

À la réflexion, McCallister ne m'a pas paru être le type de fils qui rend visite à sa mère chaque semaine.

— De toute façon, ce n'est plus mon problème, je conclus.

— D'accord. C'est juste que tu avais l'air de bien les aimer. Comme Meg.

— Je ne suis pas Meg.

— Exact. Allez, laisse-moi travailler.

La matinée s'étire. Alice et Richard le roi du pétard sont absents, Harry est cloîtré dans sa chambre. Assise sur la véranda, je contemple la pluie qui tombe. Du coin de l'œil, je repère la souris remplie d'herbe à chat que Pince-mi et Pince-moi adoraient attaquer. On dirait qu'elle me fixe d'un air accusateur.

— Bon, bon, je râle.

Attrapant mon téléphone, j'envoie un texto à Ben : *Comment vont les chats ?*

La réponse est immédiate : *Ils sont dehors. Ils essaient d'attraper les gouttes de pluie.* La seconde d'après, il m'expédie une photo des deux bestioles en train de s'ébattre dans un jardin.

Activité qui s'impose, à Seattle.

C'est toujours mieux que de courir après sa queue.

Tu es bien placé pour le savoir.

Ha ! Où es-tu ?

À Tacoma.

Une pause précède le message suivant. Puis : *Passe nous voir. Ils grandissent vite.*

Je ne comprends pas trop pourquoi mon ventre est agité de soubresauts. La perspective de recroiser Ben McCallister est à la fois repoussante et excitante.

D'accord, je réponds, sans me donner trop le temps d'y réfléchir.

Trois secondes plus tard : *Tu veux que je vienne te chercher ?*

Non. C'est arrangé.

Il me donne son adresse et me demande de l'avertir quand je serai sur la route.

Les jeunes de la paroisse de Harry remplissent toute une camionnette. Je suis un peu choquée de découvrir Richard le roi du pétard coincé au milieu du groupe.

— Salut, Cody !

— Salut, Richard. Je ne pensais pas que tu étais…

— Croyant ? s'esclaffe-t-il. Je ne les accompagne que pour sniffer les odeurs de peinture. Je suis à court de beu.

L'une de ses voisines lui lance un pinceau à la figure.

— Arrête tes conneries, Richard !

Des pratiquants qui jurent, se défoncent et font le bien. Gé-ant !

— Son père est pasteur à Boise, ajoute la fille à mon intention. Et toi, tu vas à l'église ?

— Uniquement quand les cérémonies mortuaires m'y obligent.

Elle échange un coup d'œil avec Richard. Bien qu'elle ne soit visiblement pas une étudiante de Cascades, il est évident qu'elle a pigé de quoi – de qui – je parlais. Quelqu'un met un CD de Sufjan Stevens. Richard, Harry et leurs copains chantent avec lui jusqu'aux faubourgs de Seattle. Je textote à Ben que j'arrive.

Pince-moi vient d'utiliser la caisse. Je t'en garde la primeur. Je m'autorise à sourire.

Nous empruntons la bretelle de sortie, et Richard enjambe les banquettes pour me rejoindre, au fond.

— Fais gaffe, me dit-il.

— Ce n'est pas moi qui crapahute dans un véhicule en mouvement au lieu de rester attaché.

Il s'insère entre moi et la cloison du minibus.

— Je sais de quoi sont capables les gars comme lui, reprend-il. Je l'ai vu agir avec Meg. Charmants en apparence, sales cons à l'intérieur.

Se produit alors un phénomène dingue et horrible : durant une seconde, je suis tentée de défendre Ben. Heureusement, je me retiens. Je suis ébahie. Richard a raison. McCallister est un con. Il a couché avec Meg, il l'a larguée et, maintenant qu'elle est morte, poussé par le remords, il cherche à se rattraper en étant sympa avec moi.

Je ne sais pas trop ce que je fiche ici. Pourquoi je suis à Tacoma à arracher des croûtes qu'il vaudrait mieux laisser cicatriser ; ce que je fiche à Seattle, où l'on me dépose dans le Lower Queen Anne, devant un édifice miteux de style Craftsman typiquement américain. Apparemment, je suis portée par un élan qui me dépasse parce que, avant que j'aie eu le temps de me raviser et de dire aux bons samaritains que je préfère participer à leurs travaux de peinture, Harry me crie qu'ils seront de retour vers 17 heures, tandis que Richard me couve d'un regard que je ne saurais décrire autrement que comme paternel, bien que je sois la plus mal placée pour identifier ce genre de chose. La camionnette s'éloigne en rugissant.

Je reste plantée devant la maison d'un bleu fané. La courette est jonchée de mégots et de canettes de bière. J'essaie de raviver ma colère, ma haine de Ben pour trouver le courage de me propulser à l'intérieur. La porte s'entrebâille, et un petit éclair gris file entre mes jambes. Pince-mi. Ben disait vrai, il a grandi. Le battant s'ouvre plus largement, et le Ben en question se rue dehors, pieds nus, cheveux mouillés.

— Merde de merde !

— Quoi ?

— On ne les laisse pas sortir devant. Il y a trop de circulation.

Plongeant sous un buisson, il attrape le fuyard par la peau du cou.

— Oh !

Il me tend le chat, qui ne se débat pas. Mais quand je m'en empare, il me griffe juste sous l'oreille.

— Aïe !

— Il est un brin turbulent.

— Je vois ça, je dis en lui rendant la sale bête.

— Entrons, dit Ben.

À l'intérieur, le plancher est beau quoique abîmé. Il y a de récents rayonnages en bois partout, chargés de livres, d'albums et de bougies. Ben allume le plafonnier et se penche vers moi. Craignant qu'il veuille m'embrasser, je serre le poing. Il se contente de repousser en arrière mes cheveux et d'inspecter mon cou.

— Il ne t'a pas loupée, constate-t-il.

Du bout du doigt, j'effleure la griffure. Elle a commencé à boursoufler.

— Ça va aller.

— Tu devrais la désinfecter.

— Puisque je te dis que ça va.

— Ils utilisent leur litière. Tu risques la maladie des griffes du chat.

— Ça n'existe pas. C'est seulement le titre d'une chanson.

— Ça existe bel et bien. Tes ganglions gonflent.

— Comment se fait-il que tu en saches autant sur les chats ?

— Nous en avions des tonnes, quand j'étais gosse. Ma mère était une farouche opposante à la stérilisation. Des femelles comme des mâles. Des animaux comme des humains.

Je le suis dans une salle de bains rose très années 1960, encore tout embuée de la condensation de sa douche. Il fouille dans une armoire à pharmacie, en tire un flacon d'eau oxygénée, verse un peu de liquide sur un mouchoir en papier qu'il me tend. Je m'en empare, préviens tout geste déplacé. :

— Je me débrouille à partir de là.

La blessure blanchit, mousse et pique pendant une seconde avant de se calmer. Ensuite, nous restons plantés là comme deux idiots, dans cette pièce exiguë, chaude et humide. J'en sors la première. Ben me fait faire le tour du propriétaire : meubles dépareillés dans le salon, armada d'instruments de musique et d'appareils électroniques au sous-sol. Il me montre sa chambre, murs et futon sombres, guitare acoustique dans un coin, et les mêmes chouettes étagères que dans la salle principale. Je me garde bien de pénétrer dans son antre.

Comme la pluie a cessé, il m'entraîne au pied du long escalier qui mène au jardin.

— C'est ici qu'ils passent l'essentiel de leur temps, dit-il avec un geste qui englobe l'espace.

— Qui ? je demande, avant de me rappeler la raison de ma présence ici. Oh, les petits gars.

— À ce sujet…

— Tu les as fait castrer ?

— Non, Meg s'en était déjà chargée.

Il a trébuché sur le prénom, s'est vite repris cependant et poursuit :

— Ce ne sont pas des gars. Enfin, pas les deux. Pince-moi est une fille. Alors que je les croyais frères.

— Ils sont de la même portée. Ça marche quand même.

— Quoi donc ?

— La blague.

Comme il me regarde avec perplexité, je développe.

— Pince-mi et Pince-moi sont dans un bateau. Pince-mi tombe à l'eau, qui reste-t-il ?

— Pince-m… Oh, OK.

Il se gratte la tête, réfléchit un court instant.

— Dommage que ce soit la fille qui se noie, murmure-t-il ensuite.

Nous y sommes. Retour à ce qui m'amène vraiment ici. Pas les chatons, mais cette mort. De manière assez pénible, le suicide de Meg nous unit, lui et moi. Nous nous dandinons un moment dans cet après-midi détrempé, puis il s'assoit sur les marches et allume une cigarette. Il m'en offre une, je décline.

— Ne bois pas, ne fume pas, j'explique, parodiant la vieille chanson des années 1980 que Meg et moi avions un jour découverte sur une cassette compilée par sa mère.

— Que fais-tu ? riposte-t-il, citant les paroles suivantes.

— Bonne question, j'acquiesce en me posant à côté de lui. Et toi, à propos, qu'est-ce que tu fais ?

— Je bosse parfois sur des chantiers. En tant que menuisier. Et je donne des concerts.

— C'est vrai. Les Scarps.

— Exact. On a joué hier, et on remet ça ce soir.

— Coup double, donc.

— Tu pourrais rester. Venir nous écouter. Ça a lieu à Belltown.

— Je loge à Tacoma.

— Je te ramènerais en bagnole. Peut-être pas cette nuit, mais demain. Tu n'aurais qu'à dormir ici.

Il est sérieux ? Je le toise avec mépris, il hausse les épaules.

— OK, à toi de décider, lâche-t-il en tirant sur sa clope. Que fiches-tu dans le coin, d'ailleurs ?

— Je suis venue voir les chats, je réponds, sur la défensive. Tu m'as invitée, je te rappelle.

Mais seulement après que je lui ai envoyé un texto. Quelle mouche m'a piquée, bon sang ?

— Non, sur la côte, je veux dire. À Tacoma.

J'explique le problème sur l'ordinateur de Meg, l'apparente sorcellerie de Harry en informatique. Une drôle de moue se dessine sur son visage.

— Je ne suis pas sûr que lire ses mails soit une bonne idée, commente-t-il.

— Pourquoi ? Tu as des choses à cacher ?

— Même si c'était le cas, tu ne t'es pas gênée pour prendre connaissance de ceux qu'elle m'avait envoyés.

— En effet. Ce sont même eux qui m'ont incitée à m'entêter.

Il fait rouler sa cigarette entre ses doigts.

— Sauf qu'ils m'appartenaient. Ils m'étaient destinés. J'avais le droit de te les montrer. Farfouiller dans la vie privée de Meg est différent. Ce n'est pas correct.

— Quand on meurt, on n'est plus personne. La notion d'intimité devient plutôt théorique, tu ne crois pas ?

Il semble mal à l'aise.

— Et que cherches-tu exactement ?

— Je n'en sais trop rien. Mais un truc cloche.

— Genre ? Elle aurait été assassinée ?

— Je n'irais pas jusque-là. N'empêche, c'est louche. Pour commencer, Meg n'était pas suicidaire. J'y ai beaucoup réfléchi. Je la connaissais depuis toujours, même si j'ai un peu perdu le fil après qu'elle a emménagé ici. Il n'en reste pas moins que, pendant toutes ces années, elle n'a pas songé une seconde à se donner la mort, n'en a jamais parlé. Il s'est donc produit quelque chose. Qui l'aurait poussée à bout.

— Qui l'aurait poussée à bout, répète-t-il, incrédule, en allumant une seconde cigarette au mégot de la précédente. Quoi, exactement ?

— Comment veux-tu que je le sache ? En tout cas, dans sa lettre d'adieu, une ligne stipulait que la décision lui appartenait entièrement. Pourquoi le préciser ? C'était évident, non ?

Ben a l'air fatigué. Il observe un long silence.

— Elle a peut-être écrit ça pour te disculper, finit-il par souffler.

Je soutiens son regard un peu plus longtemps que nécessaire.

— Eh bien, c'est raté.

Comme la pluie repart de plus belle, nous rentrons. Ben prépare des tortillas qu'il farcit de haricots noirs et de *tempeh*, puis il râpe dessus du fromage (sa réserve secrète, cachée au frigo dans un Tupperware). Lorsque nous terminons de manger, à peine une heure s'est écoulée depuis mon arrivée. Les bons samaritains ne seront pas là avant la fin de l'après-midi. Le temps qui nous est imparti s'étire devant nous comme un interminable bâillement. Ben suggère un tour en ville, pour me montrer la Space Needle, par exemple, mais le froid est déraisonnable, et je n'ai pas envie de bouger.

— Que proposes-tu, alors ?

Il y a une petite télévision dans le salon. Je suis soudain très tentée par l'idée de m'adonner à une activité normale. Qui ne consiste ni à me rendre à un service commémoratif, ni à fouiller un ordinateur. Juste à traînasser devant le poste. Après la mort de Meg, ces banalités me semblaient déplacées. Jusqu'à maintenant.

— On pourrait regarder la télé ?

Bien que surpris, Ben allume l'appareil puis me donne la télécommande. Je choisis une rediffusion du *Daily Show*, les chats se blottissent contre nous. Le téléphone portable de mon voisin n'arrête pas de vibrer (texto) ou de carillonner (appel). Il prend un ou deux coups de fil et s'exile dans la pièce voisine pour discuter, ce qui ne m'empêche en rien de capter des bribes de sa conversation : *Un imprévu. On pourrait se voir demain soir, plutôt ?* L'un de ces échanges, embarrassant pour moi, s'éternise. Ben s'efforce de faire comprendre à une crétine apparemment finie répondant au nom de Bethany pourquoi il est dans l'incapacité de passer chez elle. Il insiste pour que ce soit elle qui vienne. *Allons, Bethany, arrête tes idioties.* Même moi, j'ai perçu le manque de conviction de Ben.

Lorsqu'il me rejoint sur le canapé, j'ai zappé sur MTV, qui propose un marathon de plusieurs épisodes de *16 and Pregnant*. Ben ne connaissant pas cette émission de téléréalité, je lui en explique la finalité.

— Un peu trop réel pour moi, commente-t-il ensuite en secouant la tête.

— C'est le principe.

Un nouveau gazouillis annonce un énième message.

— Si tu veux être tranquille, je peux te laisser, je propose.

— C'est vrai qu'un peu de tranquillité serait la bienvenue.

Piquée au vif, je m'apprête à rassembler mes affaires pour aller patienter quelques heures dans un café, quand il coupe l'appareil. Nous regardons l'émission. Au bout de plusieurs épisodes, il est mordu et se met à brailler à l'adresse de la télévision, une habitude que Meg et moi avions aussi.

— Cette débilité est vraiment un excellent argument en faveur du contrôle des naissances, lâche-t-il.

— Tu as déjà engrossé une fille ?

Il ouvre de grands yeux. Bleu électrique en cet instant. À moins que ce soit le reflet de l'écran.

— C'est une question très perso, ça, élude-t-il.

— J'ai l'impression qu'on a un peu dépassé le stade du cérémoniel, tu ne penses pas ?

Il me dévisage, se résigne :

— J'ai eu une belle frousse, une fois, au lycée. Heureusement, ce n'était qu'une fausse alerte. J'ai retenu la leçon. Je sors toujours couvert. Contrairement à ces trouducs. (Il montre le poste.) Parfois, je me dis que je devrais me faire castrer, comme Pince-mi et Pince-moi.

— Pince-mi. Pince-moi est une fille. On lui a enlevé les ovaires.

— D'accord, comme Pince-mi.

— Tu ne souhaites donc pas avoir de gosses ? Pas tout de suite, bien sûr, mais plus tard ?

— Je suis censé répondre que si, j'imagine. Sauf que, quand j'envisage l'avenir, je n'en vois pas.

— Vivre vite et mourir jeune.

Tout le monde prête à cette phrase un romanesque échevelé. Personnellement, elle m'horripile. J'ai vu une photo du cadavre de Meg, dans un dossier de la police. Mourir jeune n'a rien de romantique.

— Non. Ce n'est pas comme si je pensais mourir précocement. Juste que je me sens... déconnecté.

— Pourtant, tu m'as l'air de l'être sacrément, connecté, je riposte en désignant le portable.

— Faut croire, ouais.

— Pardon ? Laisse-moi plutôt te dire ce que moi, je crois. Une nana est bien venue chez toi hier ?

Ses oreilles rosissent, réponse qui me suffit.

— Et tu en auras une autre dans ton lit ce soir ?

— Ça dépend...

— De quoi ?

— De toi. De si tu décides de rester.

— Tu es malade ? C'est plus fort que toi, hein ? Comme une drogue ?

— Du calme, Cody. Même en dormant sur le canapé, tu resterais, non ?

— Que les choses soient claires, mon pote. Je ne coucherai jamais avec toi. Ni près de toi.

— OK. Je te raye de ma liste.

— Longue comme le bras, j'en suis sûre.

Il a la décence de prendre un air gêné. Nous cessons de parler pour nous ré-intéresser à l'émission.

— Est-ce que je peux te poser une question ? je lance peu après.

— Est-ce que ça t'arrêtera si je réponds non ?

— Pourquoi ? Enfin, je comprends que les mecs veuillent du sexe, du sexe et encore du sexe. Qu'ils ne pensent qu'à ça. Mais pourquoi une fille différente chaque nuit ?

— Ce n'est pas le cas.

— Pas loin, quand même.

Ben s'empare de son paquet de cigarettes et joue avec l'une d'elles. Il a envie de l'allumer, il doit être interdit de fumer à l'intérieur de la maison, toutefois. Il finit par la ranger avec les autres.

— On fait comme on peut, marmonne-t-il.

— Qu'est-ce que ça signifie, ça ?

— Juste que… devenir un homme n'est pas instinctif…

— Arrête ! Je n'ai jamais connu mon père, ma mère n'est pas franchement un modèle, et je ne rejette pas la faute sur eux. Alors, c'est quoi, ton histoire ? Tu n'as pas eu de père, Ben ? Arrache-moi des larmes !

Il me regarde, le visage dur. Il est redevenu le teigneux sur scène ou dans la chambre de Meg.

— Oh si, j'en ai eu un, répond-il. À ton avis, qui m'a appris à me comporter comme ça avec les femmes ?

À 16 h 30, Harry m'envoie un texto annonçant qu'ils remballent et ne devraient pas tarder. Je récupère mes affaires, Ben et moi sortons attendre la camionnette sur le trottoir.

— Te reverrai-je ?

Pour une raison qui m'échappe, je retiens mon souffle.

— Sinon, il faut que je te dise un truc, enchaîne-t-il.

C'est pour ça qu'il m'a invitée. Pas pour me montrer les chatons. Pour se confesser.

— Je t'écoute.

Il tire une longue bouffée de sa cigarette. Lorsqu'il exhale, il ne recrache pas toute la fumée. La plupart des toxines doivent rester à l'intérieur.

— Elle a pleuré. Cette nuit-là. Elle a pleuré. Pourtant, ça s'était bien passé.

— Était-elle ivre ? Très ivre ?

— Parce que tu crois que je l'aurais sautée en plein coma éthylique ? Bon Dieu, Cody ! Je ne suis pas salaud à ce point !

— Tu serais étonné de découvrir combien ceux qui en profitent sont nombreux.

Je lui raconte. La première et unique autre fois de Meg. La fête, en seconde. Elle avait trop bu, était sortie avec Clint Randhurst. La situation avait dérapé. Bien qu'elle n'ait pas clairement dit non, elle n'avait pas dit oui. Qui plus est, c'était sûrement Clint qui lui avait refilé la mononucléose. Elle était tombée malade juste après cette soirée. Par la suite, elle m'avait juré qu'elle ne le referait plus jamais, à moins que ce soit avec un garçon qui comptait beaucoup pour elle. D'où je tiens que Ben était important. Même s'il a été une erreur.

— Ce n'était pas ta faute, je lui dis. Elle n'a pas pleuré à cause de toi. Ou alors, c'étaient des larmes de joie, de soulagement. Parce qu'elle t'aimait bien. C'est peut-être pour ça qu'elle a chialé, d'ailleurs.

Je le précise pour apaiser ses scrupules. Ou les miens. Respectant la volonté de Meg, je n'ai parlé de Clint à personne. L'aveu n'a cependant pas l'effet escompté : Ben semble encore plus abattu. Il secoue la tête, baisse les yeux, garde le silence.

Quand les bons samaritains arrivent, Richard le roi du pétard remarque la mine de Ben.

— Qu'est-ce qu'il a encore fait ? me lance-t-il.

— Rien, je réponds en montant dans le minibus.

— Si tu trouves quelque chose dans son ordi, tu m'en informeras ? demande Ben.

— Entendu.

Il ferme la portière derrière moi, donne deux petits coups sur la vitre. Nous nous éloignons.

chapitre 13

Harry travaille toute la soirée sur l'ordinateur de Meg. Toute la nuit aussi. À mon réveil, tôt le lendemain, la lumière de sa chambre est encore allumée. À mon avis, il n'a pas fermé l'œil.

— J'y suis presque, m'annonce-t-il avec enthousiasme, le regard brillant. Un cryptage très inhabituel. Tu crois que c'est Meg qui l'a mis au point ?

Je hausse les épaules, secoue la tête – aucune idée.

— Si oui, enchaîne-t-il (et cette fois, c'est lui qui secoue la tête), sa disparition est encore plus triste. Elle et moi nous serions drôlement amusés à bidouiller des programmes ensemble.

J'acquiesce poliment.

— On ne connaît jamais vraiment les gens, hein ? soupire-t-il.

En effet.

Alice se lève quelques heures plus tard. Elle m'étreint à m'étouffer comme si j'étais son amie d'enfance perdue puis retrouvée.

— Où étais-tu, hier ? s'enquiert-elle.

— N'ayant rien de mieux à faire, j'ai accompagné la bande à Seattle.

— Je t'ai attendue, en fin d'aprèm. Je suis allée au ciné. Pas grave. Je vais nous préparer des tartines. Avec du pain maison !

Je la suis dans la cuisine. Elle a beau s'escrimer, elle n'arrive pas à trancher sa miche. Je suggère de sortir. Nous retournons au boui-boui où j'ai passé la nuit, il y a quelques semaines. Alice ne l'aime pas, parce que les œufs qu'ils y servent ne sont pas fermiers. Moi, je l'aime bien, parce que le petit déjeuner est à deux dollars quatre-vingt-dix-neuf. Alice me soûle avec ses papotages : la fin de l'année scolaire, ses examens, ses vacances chez elle à Eugene, dans l'Oregon, où, assure-t-elle, le temps est tellement idéal qu'on se croirait au paradis. Au point que certains vivent dans le plus simple appareil. Elle m'invite à lui rendre visite avant qu'elle parte travailler dans le Montana, où elle a décroché un job d'été. J'affiche un sourire forcé. J'ignore comment réagir. Elle se comporte comme si nous étions copines, ce que nous ne sommes pas : nous avions une connaissance commune, qui n'est plus.

— Pourquoi es-tu allée à Seattle hier ? me demande-t-elle ensuite.

— Pour voir les chatons.

— Et Ben McCallister ?

— Ouais. Il était là aussi.

— Il est craquant, non ? s'exclame-t-elle en battant des cils.

— J'imagine, oui.

— Tu rigoles ? Il y a eu quelque chose entre lui et Meg, hein ?

Je repense à la formulation sordide de Ben. *Je l'ai baisée.* Qui exprimait un tel dégoût. De Meg. De l'acte. De lui-même. Je ne comprends même pas pourquoi il s'est embêté à coucher avec elle.

— Je n'appellerais pas ça quelque chose.

— Un simple truc entre lui et moi me conviendrait très bien.

Alice semble si jeune, mignonne, innocente. Que deviendrait-elle si Ben couchait avec elle avant de la jeter ? Rien de bon, à mon avis.

— Tu m'étonnes…

Nous terminons notre repas quand Harry m'envoie un message. *Ça y est !* Je règle la note, et nous nous dépêchons de regagner la maison. Le geek nous attend sur la véranda, le portable de Meg sur les genoux.

— Regarde ! me dit-il.

J'obtempère. Est ouvert un document à en-tête professionnel. *Hi-Watt Industrial Cleaning Company,* suivi de chiffres.

— Qu'est-ce que c'est ?

— Une licence professionnelle.

— Qu'est-ce qu'elle fiche dans l'ordi de Meg ?

— C'est pratique pour acheter certaines choses.

Il clique sur une deuxième fenêtre. S'affiche une liste de produits chimiques mortels, les endroits où se les procurer, une description de leurs effets physiques et de leur « taux d'efficacité ». Le poison qu'a ingurgité

Meg y figure. Son efficacité est l'une des plus élevées. De la bile me remonte à la gorge.

— Il y a plus, annonce Harry en débloquant un troisième dossier.

Il s'agit d'une sorte de méthodologie comme on pourrait nous en distribuer en cours. À l'examiner de plus près, je me rends compte que les entrées de la colonne de gauche sont celles des étapes d'un suicide rondement mené. Commander le poison. Choisir son jour. Laisser un message. Vider la boîte mails/effacer la mémoire cache du navigateur. Programmer l'expédition de la lettre.

— Mon Dieu… je souffle.

— Ce n'est pas tout, Cody, reprend le petit génie d'une voix sinistre.

Il ouvre un document Word. Sur un ton quasiment désinvolte, le texte félicite ses lecteurs d'avoir effectué *l'ultime et courageux pas vers le droit à l'autodétermination*. La suite est du même tonneau : *Nous ne choisissons pas de naître, rarement de mourir. À l'exception du suicide. Il faut de l'audace pour s'engager dans sa voie. Il peut constituer un rite secret de passage. Parfois, pour se l'approprier, il faut le rendre anonyme.* Ça continue avec des détails révoltants sur les meilleurs endroits et moments où se tuer, la façon de cacher ses projets à ses proches. Il y a même des conseils pour rédiger sa lettre d'adieu. J'identifie, mot pour mot, des phrases que Meg a utilisées.

Penchée au-dessus de la balustrade, je vomis mon petit déjeuner dans un buisson d'hortensias mauves.

Alice pleure, Harry paraît à deux doigts de paniquer, l'air de se demander ce qu'il va faire de nous deux.

— Qui professe ce genre d'horreurs ? je halète.

— J'ai creusé un peu sur Google, répond Harry. Il existe des tonnes de groupes de soutien au suicide.

— Des groupes de soutien ? répète Alice avec ahurissement.

— Qui y incitent, je précise. Pas qui cherchent à l'éviter.

— Oui, acquiesce notre as de l'informatique. Très actifs autrefois sur Internet, moins nombreux aujourd'hui. Ça explique que Meg ait dissimulé ces documents. Cette… « littérature » paraît émaner d'un groupe bien particulier. « Solution finale. » Tu parles d'un nom ! Les responsables de ces lignes ne veulent visiblement pas qu'on les identifie. (Il sourit avant de se reprendre, comme s'il venait de se rappeler que l'heure n'est pas à la rigolade.) Le plus ironique, c'est que si Meg n'avait pas codé ce dossier mais s'était contentée de le virer, il ne serait plus sur son disque dur.

— Comment peux-tu être certain qu'il s'agit bien de ces gens ? demande Alice.

— Meg a nettoyé son historique mais n'a pas vidé l'anti-mémoire. C'est là que j'ai déniché Solution finale.

Chapitre 14

Tricia, la pipelette locale, a annoncé à la moitié de Plouc-la-ville que je suis retournée à Tacoma. Conséquence, Joe et Sue sont au courant. Ce que je ne découvre qu'après qu'ils me téléphonent pour m'inviter à dîner et que, une fois chez eux, ils me prennent de court en m'interrogeant sur les raisons de ce voyage.

— J'étais repartie un peu précipitamment, la dernière fois. Je voulais m'assurer de n'avoir rien oublié.

— Il ne fallait pas t'embêter avec ça, Cody ! s'exclame Sue. Tu es trop gentille.

Elle soupire, dépose des pâtes en sachet cuisson dans mon assiette, repas à la hauteur des talents culinaires de Tricia. Mon secret – celui de Meg –, cette découverte que je ne comptais pas dissimuler, a maintenant des allures de soude caustique. Durant tout le trajet en car, j'ai débattu pour savoir si leur révéler la chose risquait d'aggraver leur chagrin. Sans parvenir à une conclusion autre qu'éviter les Garcia, dorénavant. Au bout de trois jours, c'est comme si la décision s'était prise toute seule. Sue débarrasse la table. Je n'ai pratiquement rien avalé, mais elle ne commente pas. Au demeurant, elle aussi a joué avec sa nourriture.

— Tu restes ? me demande-t-elle. Joe a enfin pu monter dans sa chambre.

Celle de Meg, s'entend. Où, d'après Scottie, personne n'est vraiment entré depuis sa mort. Il m'a confié y avoir jeté un coup d'œil à quelques reprises, que rien n'a bougé, comme si sa sœur était sur le point de rentrer. J'imagine sans peine le tableau : le bureau jonché de fils et de fers à souder ; le tableau en liège avec son collage de vieilles pochettes de disques, ses dessins au fusain et ses photos. Le mur de graffitis, comme nous l'avions baptisé, face aux fenêtres, tapissé au départ d'un papier peint à fleurs atroce qu'un jour, cédant à l'inspiration, Meg avait arraché et couvert de ses citations et paroles de chanson préférées, directement sur le plâtre, au marqueur. Sue avait piqué sa crise. Et d'une, parce que ça dégradait la maison, et de deux, parce que des copines de sa paroisse venues déjeuner à l'improviste avaient jugé certaines phrases blasphématoires. Meg avait surpris sa mère disant à son père : *Tu connais les gens, Joe.* Ce dernier l'avait défendue cependant, arguant qu'il ne fallait pas prêter l'oreille aux ragots. Si ce mur était un exutoire pour Meg, c'était très bien ainsi. Il le repeindrait quand ils déménageraient. Ce qui n'était jamais arrivé. Et n'arrivera pas, désormais. À mon avis.

— Nous avons trouvé des affaires t'appartenant, me dit Joe. Et des objets de Meg que tu pourrais vouloir.

— Une autre fois, j'élude. Je me lève tôt pour aller bosser demain.

Est-ce ainsi que la fausseté s'installe ? Le premier mensonge vient difficilement, le deuxième un peu plus aisément, et les suivants s'échappent des lèvres avec plus de virtuosité que les vérités. Sans doute parce que, contrairement à elles, ils permettent de fuir les complications.

Je m'en vais. Avant que la porte se referme sur moi, Scottie surgit, Samson en laisse.

— Une balade ?

— Je suis pressée.

— OK. Samson aime courir, hein mon chien ?

Je m'éloigne rapidement. Scottie n'a aucun mal à suivre le rythme, parce qu'il est jeune et tout en jambes. Le chien bondit alentour en reniflant çà et là pour se soulager. Au bout du pâté de maisons, le gamin me demande lui aussi pourquoi je suis retournée à Tacoma.

— Je te l'ai dit à table. J'avais peur d'avoir oublié des trucs.

Est-il plus dur de mentir aux enfants ou sont-ils équipés d'un radar à salades plus efficace ? Quoi qu'il en soit, Scottie me toise d'un regard cynique qui est un vrai crève-cœur.

— Pourquoi ? insiste-t-il.

— Tu veux bien laisser tomber ?

— Dis-moi juste pourquoi. Tu as trouvé quelque chose, hein ?

Scottie est grand et longiligne. Il a les cheveux blonds de Sue, même s'ils commencent à foncer. Il a beau estimer qu'il a perdu son innocence avec la mort de Meg, il n'a que dix ans. S'il l'a effectivement perdue, il a tout le temps de la retrouver. Sauf si je lui raconte qu'elle s'est fait passer pour l'acheteuse d'une société de nettoyage afin de commander un détergent ultra-puissant pour tissus d'ameublement ; qu'elle s'est donné tout ce mal, parce qu'elle fonctionnait comme ça mais aussi parce qu'elle aspirait tant à mourir qu'il lui fallait le produit chimique ayant la marge d'erreur la plus faible ; qu'elle a préparé son projet avec une méticulosité hallucinante, à la Meg, comme s'il s'agissait de décrocher un énième coupe-file permettant d'accéder aux coulisses d'un concert. *On va d'abord tenter le coup auprès des annonceurs. Si ça ne marche pas, on essaiera la radio. Si ça échoue aussi, on demandera à l'un de nos potes musiciens de glisser un mot en notre faveur.* Ses stratagèmes fonctionnaient toujours.

Meg n'a pas envoyé l'annonce de son suicide à Scottie, juste un mot d'adieu l'assurant de son amour. Elle ne tenait pas à ce qu'il en sache trop. Si, aujourd'hui, je lui révèle ma découverte, je réduirai à néant les précautions qu'elle a prises ; et je le détruirais lui aussi peut-être. Nous avons déjà perdu un Garcia cette année, ça suffit. Je me borne donc à lâcher :

— Rien que des moutons sous le lit.

Sur ce, je le plante là. Au carrefour. Dans le noir.

Chapitre 15

Quand j'avais pris la décision de ne pas aller à l'université d'État mais plutôt au centre local, Tricia avait exigé que je me trouve un petit boulot. Le Dairy Queen embauchant, j'y avais déposé une candidature. La gérante, comme par hasard, était Tammy Henthoff.

— Tu es copine avec la fille Garcia, non ? m'avait-elle demandé en louchant sur mon C.V.

— Meg ? Oui, c'est ma meilleure amie. Elle est en fac à Tacoma. Elle a décroché une bourse.

J'étais si fière d'elle.

— Mouais.

Tammy avait paru guère impressionnée. Ou alors, elle était sur la défensive. Depuis qu'elle s'était mise en ménage avec Matt Parner, nos concitoyens n'étaient plus très tendres avec elle. Elle avait été renvoyée de la concession automobile qui employait aussi son mari, et j'avais eu vent de rumeurs selon lesquelles Melissa, la future ex de Matt, et ses amies avaient pris l'habitude de passer en voiture devant le DQ en braillant des insultes. Non que Tammy ne les ait pas méritées. Mais Matt, lui, n'avait pas été licencié du garage de réparation rapide, et personne ne venait le traiter de putain sur son lieu de travail.

Pendant mon entretien avec Tammy, des ribambelles de lycéens avaient défilé au DQ qui, depuis toujours, est un lieu de ralliement de la jeunesse. Je m'étais alors rendu compte que, si je décrochais le poste, j'allais servir des gens que j'avais, quatre ans durant, sinon complètement snobés, du moins ignorés. Meg avait beau connaître tout un chacun chez nous et avoir des admirateurs, elle était proche de peu de monde : sa famille, ceux avec lesquels elle sympathisait en ligne, et moi. C'est au collège que les profs avaient commencé à nous appeler Le Clan. Le surnom était resté et, très vite, beaucoup avaient adopté le sobriquet. Nous formions un couple. Même Tammy Henthoff, qui avait quitté le lycée sept ans avant nous, en avait entendu parler. En travaillant au DQ, j'aurais droit à un tir de barrage quotidien : *Tu n'es pas l'amie de Meg ?* Avec, comme corollaire : *Dans ce cas, que fiches-tu encore ici ?*

À la même époque, la directrice du bar salariant Tricia lui avait demandé si elle connaissait une personne de confiance pour faire le ménage chez elle. Tricia m'avait aussitôt recommandée, par défi sans doute. Elle savait combien je déteste les tâches domestiques. Mais haïr une activité n'implique pas automatiquement qu'on la sabote. Ce job s'était vite transformé en deux autres, puis quatre, six à présent.

Il y a quinze jours, on m'a contactée pour me proposer un poste de gardienne au Pioneer Park. Sue connaît la responsable des espaces verts de la ville et, malgré son chagrin, elle a réussi à glisser un mot en ma faveur. La femme en question m'a donc fixé rendez-vous. Le boulot est chouette et bien payé, avec un intéressement. À la date prévue, je suis allée là-bas à pied.

Malheureusement, en chemin, je suis tombée sur la fusée spatiale.

C'est au Pioneer Park que Meg et moi avions appris à faire du vélo. Là que nous avions couru parmi les arrosages automatiques et rêvé de la piscine que la municipalité envisageait parfois de construire (sans que ça aboutisse, comme d'habitude). C'était un endroit neutre – ni chez elle ni chez moi, ni l'école ni le DQ – où nous pouvions discuter tranquillement. La capsule couronnant la fusée était notre refuge privé et magique. Chaque fois que nous escaladions l'échelle branlante y menant, nous nous retrouvions seules, même s'il était clair que d'autres adolescents fréquentaient les lieux, à en juger par les graffitis qui ne cessaient de changer. Les lire à voix haute constituait l'une de nos activités favorites. Il y avait des cœurs portant les initiales de couples depuis longtemps séparés, des paroles de chanson que tout le monde avait oubliées. Les nouveautés chevauchaient les vieilleries, mais l'une d'elles, la préférée de Meg, restait bien lisible, gravée dans le métal. *J'étais là.* Elle l'adorait.

— Que peut-on ajouter à ça ? s'exclamait-elle.

Elle l'avait d'ailleurs recopiée sur son mur de graffitis personnel et menaçait de se la faire tatouer à l'avenir, pour peu qu'elle surmonte sa phobie des aiguilles.

Cette construction dangereuse aurait dû être fermée il y a des années. Ce n'est pas le cas. On y a le point de vue le plus haut sur la ville et, les jours de beau temps, la perspective s'étire sur des kilomètres. D'après Meg, on y voyait aussi loin que le futur.

J'ai tourné les talons. Je n'ai pas appelé la directrice pour annuler notre rendez-vous.

Voilà pourquoi je continue à faire des ménages. C'est peut-être mieux ainsi. Les toilettes sont anonymes. Elles n'ont pas d'histoires à raconter, pas de récriminations à formuler. Elles ne sont que déjections et chasse d'eau.

Depuis mon dernier séjour à Tacoma, je me surprends à attendre impatiemment mes heures. Frotter, encore et encore, attaquer un évier répugnant à la Javel et à la paille de fer jusqu'à ce qu'il finisse par briller. Les avant et après de l'existence ne sont jamais aussi distincts.

Aujourd'hui, je nettoie deux maisons d'affilée, lessive et repassage, lavage des dalles dans la cuisine à la raclette. Ce n'est pas du carrelage mais du lino. Mme Chandler préfère ça. Qui suis-je pour juger ?

Les jours suivants, quand je ne travaille pas, j'applique mes activités prophylactiques au logement riquiqui de Tricia, frottant à la brosse à dents les joints de la douche que la moisissure a noircis. Tricia a un tel choc en découvrant les carreaux ayant retrouvé leur bleu et blanc d'origine au détriment du grisâtre habituel qu'elle ne se moque même pas de moi. Je m'active ainsi avec frénésie jusqu'à ce que je n'aie plus rien à astiquer, que notre foyer soit aussi propre qu'il l'était quand nous y avons emménagé. Je range mes gains, les trie par coupure. Cette semaine, j'ai gagné deux cent quarante dollars. J'en dois cent à Tricia pour le partage des frais, ce qui me laisse un bel excédent... et rien de particulier dans quoi le dépenser. En théorie, j'économise pour partir à Seattle. En théorie, mes cours de physique m'ont appris que l'univers s'agrandit à une vitesse de soixante-douze kilomètres par seconde environ. En pratique, on n'a pas du tout cette impression quand on reste immobile.

Je cache mon trésor dans ma boîte à outils, sous mon lit. Tricia a la réputation méritée de chaparder tout liquide qui traîne à portée de main. L'atmosphère chez nous est étouffante, silencieuse, plus confinée que d'ordinaire. J'enfile mes tongs et pars pour le centre-ville. Devant le Dairy Queen, une meute d'anciens camarades de classe est assise sous les peupliers. Parmi eux, Troy Boggins. Ils me saluent de la main, je leur retourne le geste, mais ils ne me proposent pas de me joindre à eux et, de mon côté, je ne prétends pas en avoir envie. À la place, je vais à la bibliothèque, mon sanctuaire depuis que Meg est morte, et que sa maison n'est plus mon second foyer. Point positif supplémentaire, elle est climatisée.

Installée à l'accueil, Mme Banks me fait signe d'approcher.

— Où étais-tu passée, Cody ? Un peu plus, et je renvoyais ces ouvrages.

Elle ôte l'élastique qui retient plusieurs livres – un surplus d'Europe centrale pour mon édification. *La Guerre des salamandres*, de Karel Čapek, *Une trop bruyante solitude*, de Bohumil Hrabal, et un recueil de nouvelles de Kafka. Je la remercie. Je n'avais plus rien à lire, en effet. Toutefois, ce n'est pas un besoin de lecture qui m'a attirée dans la fraîcheur des lieux. Je gagne la salle des ordinateurs.

Je tape *Solution finale* et *suicide* dans un moteur de recherche. Je suis dirigée vers des sites consacrés à Hitler et des blogs néonazis. Une page paraît plus prometteuse. Malheureusement, elle refuse de s'ouvrir quand je clique dessus. J'essaie d'autres liens. Même résultat. Je retourne auprès de Mme Banks.

— Il y a un souci avec l'informatique ?

— Pas que je sache. Pourquoi ?

— Je n'arrive pas à télécharger certaines pages Internet.

— Surferais-tu sur des sites interdits aux mineurs, Cody ?

Elle a beau se moquer gentiment, je n'en rougis pas moins.

— Je travaille sur un projet.

— Lequel ?

— Les groupes néonazis.

Nouveau mensonge. Sorti tout seul.

— Ah ! Ceci explique cela. Si tu veux, je supprime les filtres.

— Non, je m'empresse de refuser.

Personne ne doit apprendre. Soudain, je me souviens que je possède mon propre portable, désormais. Or la bibliothèque a le wi-fi.

— Il faut que je me sauve, là. Demain, peut-être ?

— Quand tu voudras, Cody. J'ai toute confiance en toi.

Le jour suivant, je reviens avec l'ordinateur de Meg. Mme Banks me montre comment contourner les filtres, puis je me mets au travail. Solution finale est une simple page d'accueil exigeant de ses visiteurs qu'ils déclarent qu'ils sont majeurs. Cela accompli, je suis redirigée vers un index renvoyant à différents forums de discussion. J'ouvre plusieurs messages. Il y a beaucoup de spams, encore plus d'élucubrations. Après avoir fait défiler quelques pages, j'ai le sentiment de perdre mon temps. Tout à coup, je repère un nouveau sujet : *Et ma femme ?*

Le message émane d'un homme qui affirme vouloir se suicider mais se demande comment réagira son épouse, qu'il aime. *Sa vie en sera-t-elle détruite ?* s'interroge-t-il, ce qui a provoqué une kyrielle de réponses. L'opinion la plus partagée est qu'elle sera sûrement soulagée, dans la mesure où elle doit être malheureuse elle aussi, et où, en se tuant, il les tirera tous les deux du guêpier. *Les femmes sont bien plus douées que les hommes pour rebondir*, ose quelqu'un. *Elle se remariera bientôt et s'en portera d'autant mieux.*

D'où sortent ces olibrius ? C'est donc avec cette *lie* que Meg frayait ?

Je relis les réactions. Leur ton est si léger qu'on croirait à des conseils pour réparer un carburateur. J'ai vite la nuque brûlante et l'estomac noué. J'ignore si ces intervenants ont été ou non en contact avec Meg. J'ignore si ce type avait vraiment l'intention d'en finir, s'il a d'ores et déjà commis l'irréparable. En revanche, je suis sûre d'une chose : on ne rebondit pas aussi aisément qu'ils le soutiennent.

CHAPITRE 16

Après avoir découvert les forums de Solution finale, j'en fouille les archives à la moindre occasion.

Le réseau de Plouc-la-ville laissant à désirer, j'effectue mes recherches à la bibliothèque surtout. Malgré l'intervention de Meg, ses heures d'ouverture restent limitées et elles se télescopent avec celles où je travaille. Si j'avais une connexion à la maison, je serais beaucoup plus efficace. Malheureusement, quand j'aborde le sujet, offrant même de régler l'abonnement, Tricia me rétorque :

— Et qu'est-ce qu'on en ferait ?

Autrefois, je serais allée chez les Garcia et me serais servie de leur ordinateur. Aujourd'hui, je serais très mal à l'aise de leur imposer ma présence, même si je ne creusais pas les raisons du suicide de leur fille. Résultat, je me cantonne à la bibliothèque.

— Les Tchèques te plaisent ? s'enquiert Mme Banks, un après-midi.

Durant un instant, je suis perdue. Puis je me souviens des livres. Je n'en ai pas feuilleté un.

— Ils sont intéressants.

Énième mensonge. Normalement, je dévore deux à trois ouvrages par semaine et j'ai toujours un commentaire personnel à offrir à Mme Banks au sujet d'une intrigue ou d'un personnage.

— Souhaites-tu que je les prolonge ?

— Ce serait super, merci.

Je retourne à ma bécane.

— Tu es encore sur ce projet ?

— Oui.

— Je peux t'aider en quoi que ce soit ?

Elle se penche afin de scruter l'écran.

— Non ! j'objecte d'une voix un brin trop virulente.

Je me dépêche de réduire la fenêtre. Mme Banks est interloquée.

— Excuse-moi. Tu étais si concentrée que j'ai cru que tu rencontrais des difficultés.

— Merci. Ça va. C'est que… je patauge dans mes recherches.

Voilà au moins qui est vrai. Chaque jour, de nouvelles contributions sont postées sur le site : des demandes d'encouragements ou de conseils sur le nœud de marin le plus efficace ; des témoignages de personnes dont le conjoint ou un ami en phase terminale souhaitent mourir dans la dignité. Enfin, des délires sans rapport avec le suicide : le conflit au Proche-Orient, le prix du gaz ou le vainqueur de la *Nouvelle Star*. Je découvre un jargon, des abréviations, et même une expression argotique évoquant le suicide – *Prendre le bus*.

— J'ai été documentaliste, opine Mme Banks d'un air entendu. Un conseil : quand on s'attaque à un large domaine, la solution est de se concentrer sur une cible précise. Mieux vaut viser une spécificité plutôt que lancer un filet trop grand. Et si tu t'en tenais à un seul élément des mouvements néonazis, par exemple ?

— Bonne idée. Merci.

Elle s'éloigne, tandis que je médite ses paroles. Une application permet de trier les archives. Quand je l'ai utilisée pour obtenir plus d'informations sur le poison qu'a absorbé Meg, le motel qu'elle a choisi, l'université de Cascades et les autres détails la concernant, ça n'a rien donné.

Retournant aux contributions, je m'aperçois que leurs signataires se sont créé une identité numérique. Il va de soi que Meg ne s'est pas manifestée sous son vrai nom. Je tente quelques pseudos. Avorton est un échec, Luisa, son second prénom, aussi. Ses groupes préférés, ses chanteuses de rock modèles… rien. En désespoir de cause, je tape *Luciole*.

Aussitôt, une arborescence de messages divers emplit l'écran. Certains parlent vraiment des lucioles, une dizaine de noms d'utilisateurs sont des variations du mot, visiblement populaire. Peut-être parce que ces insectes ont une vie aussi brève ? Je suis en train de réfléchir aux éventuels rapports entre les coléoptères nocturnes et les suicidaires quand je tombe dessus : Luciole1021. Le 21 octobre… l'anniversaire de Scottie. Les doigts tremblants, je remonte à la plus ancienne intervention, qui date du début de l'année. Il s'intitule : *À petits pas.*

> J'y pense depuis très longtemps. Si je ne suis pas sûre d'être prête, je suis prête à confesser que j'y songe. Bien que j'aime m'imaginer comme Buffy, audacieuse et fonceuse, je ne sais pas si j'aurai le cran de le faire. Qui n'a pas peur du passage à l'acte ?

Lorsqu'ils mettent au jour des civilisations perdues, les archéologues doivent éprouver la même frénésie que moi en cet instant. *Idem* pour celui qui a découvert l'épave engloutie du *Titanic.* L'allégresse qu'on ressent quand on retrouve une chose dont on était convaincu de l'existence mais qui avait disparu.

Parce que c'est exactement ça : je viens de retrouver Meg.

Je parcours la grosse dizaine de réactions qu'elle a déclenchées. Chaleureuses, elles lui souhaitent la bienvenue au sein du groupe, la félicitent d'avoir eu le cran d'exposer ses émotions, lui assurent que sa vie est à elle, et qu'elle est par conséquent libre d'en disposer comme bon lui plaît. Une émotion très, très bizarre me submerge alors. Bien que je sois parfaitement consciente de ce pour quoi ces inconnus la félicitent, ma première réaction est d'être fière. Ces gens ont croisé ma Meg : ils ont vu qu'elle était géniale.

Je continue. Beaucoup de réponses donnent l'impression d'avoir été rédigées par des gamins de sixième, tant elles pullulent de fautes de frappe et de grammaire.

Tout en bas, l'une d'elles sort du lot, cependant. Son auteur a choisi de s'appeler All_BS.

Petits pas ? Ce concept existe-t-il seulement ? Lao-Tseu a dit : « Un voyage de mille lis a commencé par un pas. » Il a également dit : « La vie et la mort sont l'envers et l'endroit d'une même maille, tout dépend comment on la regarde. » Tu as fait ce premier pas, non vers la mort, mais vers une façon différente de vivre ta vie. C'est la définition même de l'absence de peur. De la vaillance.

CHAPITRE 17

Sitôt après avoir découvert cette réaction au message de Meg, je m'enfuis de la bibliothèque en grosse froussarde que je suis, me promettant de ne pas retourner sur Solution finale. Deux jours plus tard, je me parjure. Non parce que j'aurais soudain recouvré un peu de force d'âme ; mais pour la même raison que celle m'ayant poussée à dormir dans les draps de Meg, à Tacoma : pour me rapprocher d'elle. Chaque fois que je lis l'une de ses interventions, j'ai l'impression qu'elle est vivante, bien qu'elle n'évoque que la mort.

Luciole1021
De mal en pis

Voici ce qui me tracasse : l'au-delà. Et s'il y avait une vie après la mort ? Si elle était aussi nulle que celle ici-bas ? Si je ne fuyais ma souffrance actuelle que pour tomber sur pire ? J'envisage la mort comme une libération, une échappatoire à la douleur. Je viens d'une famille catholique et pratiquante. Même si, contrairement à mes parents, je ne crois pas à l'enfer avec ses démons, sa damnation et son folklore, imaginez que l'après soit exactement identique au présent ? Et si c'était ça, l'enfer, justement ?

Envol3 : L'enfer est une conerie chrétiene inventé pour nous tenir en laisse. Oublie. Si tu a mal, fait ce qu'il faut pour en finir. Les animaux s'arrache les grifes. Les humains, plus subtils, ont d'autres outils à disposition.

Sassafrants : L'enfer, c'est les autres.

GrandeGueule : Si l'au-delà est pourri, sucide-toi une deuxième fois.

All_BS : Te souviens-tu d'avoir souffert avant de naître ? Te rappelles-tu les tourments endurés avant ta venue au monde ? Parfois, le mal est tolérable tant qu'on n'y touche pas, tant que l'hématome sensible n'est pas dérangé. Il en va de même avec la douleur d'être. Elle est réveillée par le mortel tourbillon[1]. Épictète a dit que ce n'étaient pas la mort et la souffrance qu'il fallait redouter, mais la peur de la mort et de la souffrance. Combats ta peur. Calme tes appréhensions. Ta peine alors disparaîtra, et tu seras libérée.

All_BS est celui qui a écrit à Meg qu'elle était brave, et le seul de ces internautes à rédiger des phrases complètes ponctuées de citations. Le seul aussi qui, à sa manière tordue, a un discours cohérent. Je relis

---

1. Shakespeare, *Hamlet*, 3,1. Traduction Michel Grivelet, Robert Laffont. (*Toutes les notes sont du traducteur.*)

ce dernier message. Au fond de moi, une voix crie : *Arrête de lui parler. Laisse-la tranquille.* Comme si mes protestations étaient encore d'actualité. Comme si je n'arrivais pas trop tard.

Luciole1021
Prendre ou ne pas prendre des antidépresseurs

Une amie m'a conseillé d'aller au dispensaire de la fac afin d'obtenir des médocs. Je me suis entretenue avec une infirmière. Je ne lui ai pas tout raconté, surtout pas nos échanges ici. Elle s'est mise à délirer sur les difficultés d'adaptation quand on vit loin de chez soi pour la première fois, sur le climat si particulier de la région. Elle enfilait les lieux communs comme des perles. Elle m'a donné des dépliants, des échantillons et un rendez-vous pour dans quinze jours. Je pense ne pas m'y rendre. J'ai toujours prôné qu'il vaut mieux être détesté qu'ignoré ; dans la même veine, il vaut peut-être mieux ressentir que ne pas ressentir.

Envoyer des messages dans le cyberespace est une chose. Il semble cependant que Meg ait eu une interlocutrice réelle (ou un interlocuteur, car elle est capable d'avoir brouillé les pistes). Qui n'était pas moi. La bouffée de jalousie qui m'incendie m'emplit de honte. Je suis minable. Dans ce jeu de tir à la corde, je tire de mon côté alors qu'il n'y a personne à l'extrémité opposée. Je parcours rapidement les réponses à cette deuxième contribution. Les intervenants mettent en garde Meg contre les psychotropes, complot ourdi par les laboratoires pharmaceutiques pour dominer mentalement la population. Certains soutiennent qu'en prendre insensibilisera son âme ; certains défendent l'idée que les humains usent de substances altérant leur esprit depuis la nuit des temps, que les antidépresseurs n'en sont qu'une version récente. Enfin, je découvre cette réaction :

> All_BS : Il y a une différence entre ingurgiter des substances naturelles comme le peyotl lors d'une expérience visant à élargir le champ de sa conscience et permettre à une bande de robots en blouse blanche de manipuler la chimie du cerveau à un niveau tel que pensées et sentiments sont entièrement contrôlés. As-tu lu *Le Meilleur des mondes*, de Huxley ? Ces médicaments ne sont que du Soma, une drogue fabriquée et distribuée par l'État pour anéantir notre individualité et briser toute tentative d'opposition. Luciole, assumer ce que l'on ressent relève de l'héroïsme.

Oh ! Meg a dû adorer cette phrase. *Assumer ce que l'on ressent relève de l'héroïsme* ; même si tes sentiments t'incitent au suicide. De nouveau, je m'interroge : pourquoi ne s'est-elle pas ouverte à moi ? Pourquoi n'ai-je pas été celle à qui elle a demandé de l'aide ? Aurais-je négligé des indices dans notre correspondance ? J'ouvre ma boîte mails, cherchant ceux qu'elle m'a envoyés en janvier, à l'époque où elle a commencé à s'exprimer sur le site. Rien

Non que nous nous soyons disputées. L'altération de nos rapports s'était déroulée trop subrepticement pour qu'on la qualifie ainsi. Meg était restée à Tacoma une partie des vacances de Noël à cause du temps partiel qu'elle effectuait pour la fac. Elle avait prévu de ne venir qu'une semaine, entre le 24 décembre et le jour de l'an, et je me réjouissais déjà à la perspective de la revoir. Mais, au tout dernier moment, elle avait invoqué des obligations familiales, du côté de Joe dans le sud de l'Oregon, pour annuler. Elle ne ferait même pas un saut chez nous. D'habitude, les Garcia m'invitaient à me joindre à eux. Ça n'avait pas été le cas cette fois-là. Enfin, si : la veille du 31, Meg m'avait téléphoné, suppliante :

— Au secours ! Mes parents me rendent dingue !

— Ah ouais ? Figure-toi que moi, à Noël, je me suis régalée de la dinde à huit dollars dans un restau minable en compagnie de Tricia. Magie garantie !

Autrefois, nous en aurions ri. Comme si mon existence pathétique avec Tricia était celle d'une autre. Sauf que c'était bien la mienne, et qu'il n'y avait pas franchement de quoi rigoler.

— Oh ! avait soufflé Meg. Je suis désolée.

Ma réplique avait eu pour but d'obtenir sa compassion. Avoir réussi m'avait cependant mis encore plus en rogne. J'avais écourté la conversation, prétextant du travail, nous avions raccroché. Nous ne nous étions même pas appelées pour la nouvelle année. Un long silence avait suivi. Je ne savais pas trop comment briser la glace puisque nous ne nous étions pas exactement chamaillées. Quand M. Purdue m'avait pincé les fesses – enfin un scoop ! –, j'avais sauté sur l'occasion et lui avais écrit un mail. Comme si de rien n'était.

Je remonte à septembre, quand elle était partie pour l'université. Je lis ses premiers mails – ses descriptions, si typiques d'elle, de ses colocataires – accompagnés de ses dessins scannés. Je me rappelle les avoir lus et relus, à l'époque, même s'ils me faisaient physiquement mal. Elle me manquait beaucoup, j'aurais voulu être là-bas, je regrettais que nos projets aient avorté. Ce que je ne lui ai jamais confié, toutefois. Je reconnais lui avoir tu bien des choses. Mais c'est encore plus vrai de son côté.

Luciole1021
Culpabilité

Je pense à ma famille. Moins à mes parents qu'à mon petit frère. Quel sera l'impact sur lui ?

All_BS : James Baldwin a écrit : « La liberté n'est pas donnée à tout le monde. C'est aux gens de s'emparer de la liberté ; alors, ils sont aussi libres que possible[2]. » À toi de décider si tu es prête à te saisir de ta liberté et de voir si, ainsi, tu libères par inadvertance d'autres personnes. Qui peut prédire sur quel chemin ta décision conduira ton frère ? Libéré de ton ombre, libre d'être lui-même, il sera

---

2. *Personne ne sait mon nom*, Gallimard, 1963.

peut-être capable d'un potentiel qu'il n'aurait pas atteint sans cela.

Luciole1021 : Tu es étrangement perspicace, All_BS. J'ai toujours pensé que mon frère était limité par ma faute et celle de ma mère. Si nous n'existions pas, il serait différent. Mais on ne dit pas ces choses-là.

All_BS : C'est pourtant ce que nous faisons ici.

Luciole1021 : Exact. C'est pour ça que j'adore ce forum. Tout est permis, tout est formulé. Y compris l'informulable.

All_BS : Oui. Notre société est pétrie de tabous, à commencer par celui de la mort. Il n'en va pas de même dans d'autres cultures, qui l'envisagent comme un cycle continu : naissance, vie, mort. Pareillement, certaines civilisations considèrent le suicide comme un sentier de courage et d'honneur. Le samouraï du XVIIe siècle Jōchō Yamamoto a écrit dans le *Hagakure* : « La voie du guerrier réside dans la mort. Cela signifie qu'il faut choisir la mort lorsqu'on a le choix entre elle et la vie. Rien de plus. Cela signifie qu'il faut être lucide et résolu. » J'ai la forte impression qu'il y a du guerrier en toi, Luciole.

Luciole1021 : Du guerrier ? Je ne suis pas certaine de savoir manier le sabre.

All_BS : Le sabre n'est rien. C'est l'état d'esprit qui compte. Puise dans la force qui est en toi.

Luciole1021 : Mais comment ? Comment j'y puise ? Comment commet-on un acte aussi courageux ?

All_BS : Bande la corde de ton courage.

Luciole1021 : Bande la corde de ton courage. Joli ! Tu as vraiment le don pour trouver les mots justes. Je pourrais discuter avec toi pendant des heures.

All_BS : Ce n'est pas de moi. Ça vient de *Macbeth*, de Shakespeare[3]. Il nous est possible de communiquer de manière plus immédiate et intime. Crée-toi une nouvelle adresse et envoie-la-moi. Je te donnerai mes instructions par mail, et nous reprendrons nos discussions à ce moment-là.

Encore une fois, le goût acide de l'envie picote ma langue. Est-ce la proximité que je sens entre Meg et All_BS qui la déclenche ? Ou est-ce la liste des personnes qu'elle s'inquiète d'abandonner, et dans laquelle je ne figure pas ?

---

3. *Macbeth*, I, 7. Traduction Jean-Claude Sallé, Robert Laffont.

Chapitre 18

J'ai une nouvelle cliente. Mme Driggs. Elle m'entraîne dans une visite de la maison. Elle et moi faisons comme si j'y entrais pour la première fois. Constatation amusante : quand on se met à jouer la comédie, on s'aperçoit que c'est le cas de tout le monde.

La maison, de style ranch, n'est pas immense : quatre pièces. Elle est déjà très propre, parce que la maîtresse des lieux y habite seule. Pas de mari : veuve, divorcée, ou jamais mariée. À ma dernière visite, Jeremy, son fils, vivait avec elle. Comme toute la ville le sait, il purge une peine de trois ans de prison à Coyote Ridge pour usage de stupéfiants. Bien qu'il soit enfermé depuis un an, sa mère, en me montrant sa chambre, me demande de changer les draps chaque semaine et de passer l'aspirateur.

La pièce n'a pas bougé depuis que Meg et moi y sommes venues : posters de chanteurs reggae, fresques psychédéliques au mur. Ayant appris que Jeremy possédait un serpent, Meg était fascinée à l'idée d'assister à l'un de ses repas. Elle avait convaincu le garçon de nous inviter, bien qu'il soit en terminale, et nous en seconde. Le grand terrarium et sa luxuriante forêt tropicale ont disparu. Son occupant, Hendrix, aussi. Que lui est-il arrivé ? Est-il mort ? Mme Driggs s'en est-elle débarrassée lorsque son rejeton a été condamné ?

Quand elle m'emmène dans la chambre, mon ventre se noue, exactement comme alors, à l'instant où Jeremy avait sorti une souris d'un sac et l'avait lâchée dans le vivarium. Je ne m'étais pas attendue à ce que la bestiole soit aussi mignonne, si blanche et rose qu'elle en était presque translucide. Vu l'immobilité quasi absolue qu'elle avait observée – seul son petit nez frétillait –, il m'avait semblé évident qu'elle n'ignorait rien de son destin. Lové dans un coin, Hendrix n'avait pas bronché non plus ; rien dans son comportement ne laissait supposer qu'il avait compris qu'on lui avait servi son déjeuner. Les deux animaux étaient restés ainsi un moment puis, soudain, le serpent avait attaqué. En un seul mouvement fluide, il avait étranglé le rongeur. Après, il avait paresseusement ouvert la gueule et gobé tout rond sa proie. Incapable d'en supporter plus, je m'étais réfugiée dans la cuisine, où Mme Driggs était plongée dans ses comptes.

— Pénible, n'est-ce pas ? m'avait-elle interpellée.

J'avais d'abord cru qu'elle faisait référence à ses factures avant de comprendre que c'était à Hendrix. Plus tard, Meg m'avait précisé qu'on distinguait la bosse que formait la souris dans le corps du reptile. Lorsqu'elle y était retournée le lendemain, le renflement était toujours là, quoique atténué. Littéralement captivée, elle avait tenu à observer ces repas à plusieurs reprises. Pas moi. Une expérience me suffisait amplement.

Environ trois semaines après ma journée à Seattle, Ben me passe un coup de fil.

— Tu n'écris pas, ne téléphones pas, lance-t-il d'un ton badin. Les chatons ne t'intéressent plus ?

— Ils vont bien ?

Soudain, j'ai peur qu'il m'ait contactée pour m'annoncer qu'ils ont été écrasés par un camion.

— Très bien. Mes colocs veillent sur eux.

Il y a du bruit en arrière-fond, voix, tintements de verres.

— Pas toi ? Où es-tu ?

— À Missoula. La bassiste de Fifteen Seconds s'est cassé le bras, on nous a invités à les remplacer en première partie de Shug, le temps d'une minitournée. Et toi, que fais-tu de tes journées ?

Que fais-je ? Je nettoie la crasse des autres et je moisis dans la mienne, lisant et relisant la correspondance entre Meg et All_BS tout en essayant d'arrêter l'étape suivante de mes recherches. Après leurs derniers échanges, les messages se sont raréfiés. J'en ai déduit qu'ils avaient transféré leurs conversations ailleurs. Mais où ? Je n'ai trouvé aucun indice dans l'ordinateur de Meg, même si j'ai découvert sa nouvelle adresse mail. J'ai envoyé un message, qui m'est revenu non délivré. À ma demande, Harry a fouillé. Il m'a appris que le compte avait été désactivé au bout de seulement trois jours. Conclusion, Meg ne s'en est servie que pour recevoir les instructions d'All_BS lui permettant de le contacter directement. *Il est clair qu'ils prenaient beaucoup de précautions*, m'a écrit Harry. *Tu devrais en faire autant.* Des précautions. Cela explique sans doute que Meg ait effacé ces mails. Comme si elle avait veillé à ne pas laisser de traces derrière elle.

Je me torture aussi avec l'amie mentionnée dans l'une de ses premières interventions. Qui lui aurait conseillé de prendre des médicaments. Qui est-ce ? Une (ou un) confidente ? Auquel cas, lui a-t-elle également révélé qu'elle s'était acoquinée avec Solution finale ? J'ai vérifié auprès d'Alice, qui m'a juré ne pas être au courant et ne pas avoir vu Meg avaler de cachets. Elle a interrogé Richard le roi du pétard, qui m'a téléphoné pour me dire qu'il ne savait rien à ce sujet mais m'a conseillé d'enquêter auprès de ses amis de Seattle. J'avais déjà songé à Ben. Suite à ma conversation avec Richard, j'ai de nouveau pensé qu'il pouvait être ce mystérieux ami. Sans assez de conviction pour l'appeler, cependant.

— Pas grand-chose de neuf, je lui réponds.

— Tu es prise, demain soir ?

— Je ne crois pas. Pourquoi ?

— Tu vis bien près de Spokane, non ?

— Près, c'est relatif. À cent cinquante kilomètres environ.

— Ah, je croyais que c'était plus proche.

— Non. Pourquoi ?

— On y joue. Notre dernier concert. Je me disais que tu aurais peut-être envie de venir nous écouter.

J'ouvre la chemise dans laquelle je conserve les messages imprimés de Meg. J'ai eu beau les étudier des dizaines de fois, je n'ai pas progressé d'un iota dans l'identification d'All_BS. Je soupçonne que c'est un homme plus âgé que nous. Juste une intuition. Ben est peut-être en mesure de me conduire au confident secret. Si ça se trouve, d'ailleurs, c'est lui.

Je n'ai pas envie de le voir. À moins que ce soit plutôt que je n'ai pas envie d'avoir envie de le voir. Malheureusement, j'ai besoin de lui. J'accepte sa proposition.

Rallier Spokane est pénible et coûteux. Le dernier bus pour en revenir part tôt. Or je ne tiens pas à dormir là-bas. Je demande à Tricia de me prêter sa voiture.

— Non, je pars décrocher la timbale, répond-elle en mimant une machine à sous avec des bruits de pièces qui dégringolent. Tu veux venir avec moi ?

Tricia adore jouer. Sûrement parce que c'est bien le seul domaine dans lequel la chance lui sourit. Quand j'étais enfant, elle m'a plus d'une fois traînée au casino amérindien de Wenatchee. Déclinant l'invitation, je me rends à Spokane en car. Mon plan est de parler à Ben, de sécher le concert et de rentrer dans la foulée. Durant le voyage, j'oscille entre nervosité et nausée. Mais bon, c'est mon état permanent, ces dernières semaines. À force de consacrer mes journées à enquêter sur Meg et All_BS, je suis en proie à une anxiété qui ne me lâche pas. J'ai du mal à manger et à dormir, j'ai tellement maigri que Tricia m'a comparée à un mannequin.

Depuis la gare routière, au centre-ville, le trajet est court jusqu'à la *taqueria* où Ben m'a donné rendez-vous. L'air est chaud, sec et poussiéreux. Cette année, l'hiver est devenu été en sautant la case printemps. Ce qui cadre bien avec ma vie : que des extrêmes, pas de temps pour les transitions en douceur. Ben est déjà à l'intérieur du restaurant presque désert, au fond, dans un box. À mon arrivée, il se lève d'un bond. Il paraît à la fois fatigué – la tournée, j'imagine – et heureux – la tournée aussi, j'imagine. Nous restons plantés l'un devant l'autre, hésitants. Je finis par rompre le silence embarrassant.

— On s'assoit ?

— Bonne idée, oui.

Un pack de bières trône sur la table.

— Ils ne servent pas d'alcool, ici, se justifie McCallister. Tu en veux une ?

J'accepte. La serveuse nous apporte une corbeille de frites et une soucoupe de salsa. Je me sers, contente de pouvoir avaler quelque chose. En sirotant, nous bavardons de tout et de rien. Ben me raconte ses aventures, les planchers sur lesquels le groupe a dormi, la brosse à dents qu'il a dû partager avec le batteur, car il a égaré la sienne. Je rétorque que c'est dégoûtant ; qu'on vend des brosses à dents dans n'importe quelle épicerie. Ce à quoi il riposte que l'histoire serait moins drôle, ce qui me ramène à la réalité de Ben McCallister, à savoir qu'il n'est qu'artifice.

Nous parlons des chats. Il les a en photo sur son téléphone, il en a ridiculement beaucoup pour un mec. On apporte notre commande, nous continuons de discuter à bâtons rompus. Quand je m'aperçois que je tourne autour du pot au lieu d'aborder le sujet qui m'amène, je respire un bon coup et lâche :

— J'ai découvert des choses.

Il me dévisage. Ces yeux ! Je détourne le regard.

— Lesquelles ?

— Dans l'ordi de Meg. Et ailleurs.

J'évoque les documents que Harry a réussi à ouvrir. Mon idée était de lui montrer les échanges entre Meg et All_BS, mais il ne m'en laisse pas l'occasion.

— Tu devais m'avertir, si tu avais du nouveau ! m'agresse-t-il.

— Qu'est-ce que je suis en train de faire, là ?

— Parce que je t'ai appelée. Sinon, macache.

— Désolée. Ça ne m'a pas paru nécessaire.

Il s'adosse à la banquette, furieux.

— Cody la cavalière aime la jouer perso, hein ? marmonne-t-il en retrouvant son feulement rauque.

— Non, c'est une première, je réponds en repoussant mon assiette, l'appétit coupé. D'où mon enquête.

— Je sais, grogne-t-il après une courte pause. Excuse-moi.

J'appuie mes doigts sur mes paupières jusqu'à ce que tout devienne noir. Je reprends :

— Écoute, Meg dit s'être confiée à une amie qui lui aurait recommandé de se rendre au dispensaire de Cascades pour qu'on lui prescrive des antidépresseurs.

Elle parle d'une fille, mais je pensais qu'il s'agissait peut-être de toi.

— Ben voyons !

— Je te rappelle tous les mails qu'elle t'a envoyés, à l'époque.

— Qui ne contiennent rien sur d'éventuels médocs, gronde-t-il en ouvrant une seconde bière. Tu les as lus, non ? Un torrent de réflexions sur elle-même. C'est à elle qu'elle écrivait, plus qu'à moi.

— Pas faux, en effet.

— N'oublie pas non plus que je l'avais larguée, poursuit-il avant de se mettre à jouer avec ses cigarettes. Ce n'était pas moi. Sûrement un de ses colocs.

— Pas Alice ni Richard. D'après eux, personne de la fac non plus. Quoique… j'ignore qui elle y fréquentait. Il n'empêche, Richard penche plutôt pour l'un de ses amis de Seattle.

— Possible, admet Ben en haussant les épaules. Mais pas moi. Et puis, quelle importance, maintenant ?

Si elle a discuté médicaments avec quelqu'un, elle lui a peut-être parlé d'All_BS et du site aussi. Je ne souffle pas mot de Solution finale à Ben, toutefois. J'ai peur que ça le fâche encore, même s'il est plutôt mal placé pour ça à mon avis. J'élude :

— J'ai besoin de réponses.

— Et si tu interrogeais le dispensaire ?

— Ça ne donnera rien. Confidentialité soignant-patient.

— En l'occurrence, la patiente est morte.

Ben s'arrête net, comme s'il venait de m'apprendre la mauvaise nouvelle.

— Ça ne change rien. J'ai essayé.

— Et ses parents ?

Je secoue la tête.

— Pourquoi pas ? insiste-t-il.

— Parce qu'ils ignorent tout de cela.

— Tu ne leur as pas dit ?

Non. Absolument rien. Le secret a fini par prendre une ampleur qui me dépasse, pareil à une tumeur maligne. Il est désormais trop tard pour que je les mette dans la confidence. Ça les dévasterait. Je m'entête néanmoins à croire que si j'en savais plus sur All_BS, assez pour agir utilement, je pourrais leur parler. Les affronter. Voilà des semaines que je ne suis pas allée chez eux. Sue inonde mon répondeur de messages me priant à dîner, mais rien qu'à la perspective d'être dans la même pièce qu'elle…

— Je ne peux pas, je soupire en posant la tête sur la table.

Ben effleure ma main, ce qui est aussi étrange qu'étrangement réconfortant.

— OK. Écumons les boîtes de Seattle, alors. On découvrira bien si elle s'est livrée à quelqu'un.

— On ?

Il acquiesce. Qu'il propose son aide est un immense soulagement.

— Avec le groupe, nous rentrons demain. Viens avec nous. On fera la tournée des bars. Un samedi soir, tout le monde sera de sortie. On posera des questions. On relira ses mails. On trouvera des réponses.

Ce soir-là, pendant le concert, j'observe Ben avec attention. Les Scarps sont bons. Pas géniaux, mais assez doués. Ben ressort ses feulements, ses bruits de gorge craquants. J'admets qu'il produit son effet, je n'ai qu'à constater les réactions des filles du public. Je pardonne à Meg, du coup. Un peu. Il a été certainement difficile de résister à McCallister.

À un moment, il met sa main en visière au-dessus de ses yeux et scrute l'assistance. Exactement comme la première fois que je l'ai vu jouer. Sauf que là, j'ai l'impression qu'il me cherche vraiment.

Chapitre 19

Après le concert, nous squattons chez quelqu'un. Je partage une chambre avec Lorraine, une étudiante pleine de piercings. Elle est plutôt sympa, même si elle me casse les oreilles avec son babillage sur les gars du groupe. Ces derniers campent sur le canapé ou dans des sacs de couchage, au sous-sol. Le lendemain, nous avalons des beignets qui ont l'air d'avoir été récupérés à la poubelle, puis embarquons dans un van.

— Prépare-toi, m'avertit Ben.

— À quoi ?

— L'odeur de huit jours de voyage. Tu risques des démangeaisons aux fesses juste en t'asseyant.

Les autres membres des Scarps me regardent de travers. Savent-ils que je suis l'amie de la morte qui n'était qu'un coup d'un soir ? Je m'installe sur un banc de fortune constitué de planches posées sur deux amplis. Ben prend d'autorité la place voisine. Nous empruntons l'autoroute I-90, et les mecs se chamaillent sur la musique qu'ils ont envie d'écouter. Aucun ne m'adresse la parole. Lorsque nous nous arrêtons pour faire le plein et qu'ils profitent de la pause pour s'acheter des sucreries, je demande à Ben quel est le problème.

— J'enfreins les règles.

— Quelles règles ?

— Pas de nana à bord du bahut.

— Oh !

— Mais bon, tu n'es pas une nana. Enfin, pas ce genre-là, en tout cas.

Il paraît embarrassé, soudain.

— Et c'est quoi, mon genre ?

Il secoue la tête.

— Je l'ignore encore. Une espèce inconnue.

Je m'endors du côté de Moses Lake, me réveille en sursaut, appuyée contre Ben. Mes oreilles se débouchent brutalement quand nous redescendons le col de Snoqualmie.

— Houps ! Désolée.

— Pas de souci, m'apaise-t-il avec un sourire.

— J'ai bavé ?

— Je garderai le secret, promis.

Là, il se marre franchement.

— Qu'y a-t-il de si drôle ?

— Tu viens de rompre ton serment de ne jamais dormir près de moi.

— Techniquement, je riposte en m'écartant, je l'ai rompu cette nuit, puisque nous avons partagé le même toit. Considère que tu gagnes un point, Ben. Je ne t'en concéderai pas un second.

Un éclair traverse ses yeux, il redevient le connard. Bizarrement, j'ai plaisir à le retrouver. L'instant ne dure pas, cependant. Il se décale un peu à son tour, non sans grommeler.

— Qu'est-ce que tu marmonnes ?

— Pas la peine de mordre comme ça, tu sais ?

— Oh ! Je t'ai blessé ? Navrée.

Mon ton suinte le sarcasme. Je m'étonne d'être aussi remontée contre lui, soudain. Il s'éloigne encore plus. Deuxième surprise – de l'avoir vraiment vexé.

— Pardonne-moi… Je suis fatiguée, énervée par tout ça.

— Je comprends.

— Je ne voulais pas être une tête de nœud.

Le sourire revient sur ses lèvres.

— Quoi, maintenant ?

— Il est rare que les filles se traitent de têtes de nœud.

— Tu préférerais que je me traite de vagin…

— Arrête. Je n'aime pas ce mot.

— Ah bon ? Les mecs semblent pourtant le considérer comme synonyme de nana.

— Mon père, oui. Il n'appelait pas ma mère autrement.

— Répugnant personnage.

— Le plus répugnant, dans l'affaire, c'est qu'elle acceptait ça sans moufter.

Malgré ses défauts, et ils sont légion, Tricia a le mérite de ne pas rapporter ses problèmes de couple à la maison. Ses amants ne dorment pas chez nous, c'est elle qui va chez eux. S'il est arrivé que l'un d'eux l'insulte, j'ai eu le privilège de ne jamais en être témoin.

— Pourquoi ? je demande. Pourquoi ne se défendait-elle pas ?

— Elle est tombée enceinte de mon frère à dix-sept ans et elle a épousé ce type. Avant qu'elle ait vingt-trois ans, ils avaient eu trois autres enfants. Elle était plus ou moins coincée avec lui, j'imagine. De son côté, il batifolait à droite et à gauche. Sa maîtresse lui a pondu deux gamins. Pas franchement en secret, tout le monde était au courant. Y compris ma mère. Pourtant, elle est restée avec lui. Ils n'ont divorcé que quand sa rivale a menacé mon vieux de le traîner en justice pour défaut de pension alimentaire. Il était sans doute plus facile et moins cher de se séparer de sa première femme et d'épouser sa copine. Il savait pertinemment que ce n'était pas le style de ma mère de lui chercher des noises.

— Monstrueux.

— Il y a pire. Une fois débarrassée de lui, quand nous, les mômes, sommes devenus plus autonomes, alors que la situation semblait s'améliorer, devine un peu ce qu'elle fait ? Elle retombe en cloque.

— Vous êtes combien, nom d'un chien ?

— Ma mère a eu cinq enfants. Quatre avec mon père, un avec son débile actuel. Mon père a eu les deux dont j'ai connaissance, mais je suis convaincu qu'il a semé ailleurs. D'après lui, la contraception regarde les bonnes femmes.

— On dirait la famille recomposée de ce vieux feuilleton, *The Brady Bunch*.

— Pas faux, rigole Ben. Sauf que nous n'avions pas de gouvernante. Comment s'appelait-elle, déjà ?

— Alice.

— C'est ça. La nôtre aurait sûrement eu un prénom de pauvre blanche. Tiffani, par exemple.

— Ou Cody.

Comme il a l'air perplexe, je lui remémore comment je gagne ma vie. Il rougit.

— Pardon. J'avais oublié. Je ne voulais pas te manquer de respect.

— Il est un peu tard pour ça, non ?

Malgré mes paroles acerbes, je souris. Lui aussi.

— Et toi ? rebondit-il. C'est quoi, ton histoire ?

— Quelle histoire ? Celle de ma famille ?

Il arque un sourcil, l'air de penser que, puisqu'il vient de me raconter sa vie, c'est à mon tour maintenant.

— Il n'y a pas grand-chose à dire. Elle ressemble à la tienne, mais inversée. Nous ne sommes que deux, ma mère, Tricia, et moi. Pas de père à l'horizon.

— Ils se sont séparés ?

— Ils n'ont jamais été ensemble. Elle ne l'appelle que le donneur de sperme, ce qu'il n'était pourtant pas, car ça aurait signifié qu'elle me désirait.

En ce qui concerne mon père, Tricia a toujours observé un mutisme qui ne lui ressemble pas. Avec le temps, j'en suis arrivée à la conclusion que c'est parce qu'il est marié de son côté. Je me le représente parfois vivant dans une belle maison, avec une jolie femme et des enfants charmants. En général, je lui en veux à mort, même si, par moments, je le comprends. Parce qu'il a une chouette existence. À sa place, je ne voudrais pas qu'une fille comme moi vienne la gâcher.

— Tricia considère qu'elle m'a élevée toute seule. C'est oublier un peu vite les Garcia.

— Les parents de Meg ?

— Oui. Ils sont un peu les miens. Une mère, un père. Et deux gosses.

Je m'interromps, prête à corriger mon erreur, puis je lis sur le visage de Ben que ce n'est pas la peine.

— Dîners ensemble. Parties de Scrabble. Des choses comme ça. Des fois, je songe que si je n'avais pas rencontré Meg, je n'aurais jamais su ce qu'est une famille normale.

J'arrête là. Me souvenir de mes multiples séjours chez les Garcia à regarder la télé sur leur canapé usé, à écrire des pièces et à forcer Scottie à jouer dedans, à veiller trop tard près du feu mourant quand nous campions, tout cela me réchauffe le cœur, mais… Il y a toujours ce mais. Ben me contemple comme s'il attendait que je continue.

— Sauf que, je murmure, si la normalité implique de subir ce qu'ils viennent de subir, quel espoir reste-t-il aux gens comme nous ?

Il secoue la tête. Lui non plus n'a pas de réponse à cette question.

chapitre 20

Nous regagnons la maison de Ben. Après qu'il a rangé ses affaires, nous consacrons une bonne demi-heure à balayer les murs avec le faisceau d'une lampe électrique et à observer Pince-mi et Pince-moi tenter de l'attraper. Je crois ne pas m'être autant amusée depuis des mois. Ensuite, Ben dresse la liste des bars et autres lieux que fréquentait Meg. Aucun n'ouvre avant 23 heures et ne ferme avant 4. Nous nous gavons d'expressos au café du coin, puis partons à bord de sa Jetta.

Notre première étape est la boîte de Fremont, où j'ai rencontré Ben. Il me présente à une bande de filles stylées en jolies robes et chaussures élégantes. Des amies de Meg, qui ont toutes dix ans de plus que nous, ce qui n'était pas un problème pour elle. Quand Ben explique qui je suis, l'une des femmes m'étreint spontanément. Puis elle recule sans me lâcher et, les yeux dans les yeux, me dit :

— Avec le temps, tu t'en remettras. Je sais que, là, tout de suite, tu n'as pas cette impression, mais crois-moi, tu t'en sortiras.

Je n'ai pas besoin de détails supplémentaires pour deviner qu'elle est passée par là elle aussi. Qu'elle a été abandonnée. J'ai le sentiment d'être moins seule. Malheureusement, aucune d'elles ne sait rien à propos du dispensaire. Elles semblent même ignorer que Meg était étudiante. Si elle le leur a caché, il est évident qu'elle ne leur aura pas parlé de Solution finale. Je n'aborde donc pas le sujet. Nous filons. Dans l'endroit suivant, nous avons à peine franchi l'obstacle du videur qu'une blonde aux cheveux hérissés se précipite dans les bras de Ben.

— Où étais-tu passé ? s'exclame-t-elle. Je t'ai envoyé… quoi ? Mille textos !

Il ne la serre pas contre lui, se borne à lui tapoter l'épaule d'un air embarrassé. Au bout d'une minute, elle s'écarte et affiche une moue faussement ronchonne. Puis, remarquant ma présence, elle me reluque.

— Salut, Clem, marmonne Ben d'une voix lasse. J'étais en tournée.

— Ah ouais ? Tu appelles ça comme ça, maintenant ?

— Je suis Cody, je me présente. Bonsoir.

— Cody était une amie de Meg, s'empresse de préciser McCallister. Meg Garcia. Tu la connaissais ?

Clem se tourne vivement vers lui en levant les yeux au ciel.

— C'est quoi, ce cirque ? Un club d'ex ? Le règlement prévoit-il que nous portions toutes la même robe ?

Elle boude pour de bon cette fois, émet un sifflement dégoûté et détale, non sans adresser un doigt d'honneur à mon compagnon, qui fixe ses godasses.

— Désolé, marmonne-t-il.

— Pourquoi t'excuses-tu ?

— Elle a… ça fait longtemps…

D'un geste de la main, je le coupe.

— Inutile d'en dire plus, j'ai pigé.

Il s'apprête à plaider sa cause quand, soudain, il repère un garçon ayant des lunettes à grosse monture d'écaille et la coiffure en banane la plus élaborée qu'il m'ait été donné de voir. Il est flanqué d'une fille qui arbore une frange courte et des lèvres peintes dans un rouge vif aveuglant.

— C'est Hidecki, m'annonce Ben. Un bon copain de Meg.

Il nous présente, et nous discutons un peu. Malheureusement, le couple n'a pas entendu parler d'antidépresseurs. Quand je suis à court de questions, Hidecki prend des nouvelles des chats.

— Parce que tu étais au courant ?

Son amie m'explique qu'il a donné cent dollars pour les soigner.

— Alors, forcément, il se sent concerné, conclut-elle.

— Cent dollars ? Tu dois aimer les chats.

— J'aimais Meg, me corrige-t-il. Et puis, j'avais économisé un montant au moins égal grâce à elle.

— Comment ça ?

— Elle avait réparé mon ampli. Changé le potar volume avant de m'expliquer comment me débrouiller la prochaine fois. J'étais sceptique, au début, mais elle savait manier un fer à souder, c'est clair.

— Exact. Les chats vont bien. Ben les a adoptés.

— Toi ? sursaute Hidecki en couvant l'intéressé d'un regard que je ne qualifierais pas d'amical.

— Oui. Il les a même en photo sur son portable. Montre-les-leur, Ben.

— Un autre jour, refuse-t-il sèchement. Allons ailleurs.

Nous visitons successivement trois boîtes, où je croise des fréquentations de Meg. À qui elle manque, mais qui sont incapables de me renseigner sur le dispensaire. En revanche, j'obtiens les noms et les adresses mails de tout un réseau de gens. Au petit matin, je n'ai aucune piste sérieuse, juste ces éventuels contacts. Je suis si fatiguée que mes jambes donnent l'impression de vouloir se dérober sous moi. Ben a les yeux encore plus rouges que ceux de Richard après plusieurs joints. Je propose qu'on arrête là. De retour chez lui, McCallister m'escorte jusqu'à sa chambre. Je stoppe dans le couloir, à croire que la pièce est radioactive.

— Tu dormiras ici, décrète-t-il, et moi sur le canapé.

— Non, c'est moi qui le prends.

— Tu seras mieux ici. Le lit est plus confortable, et tu seras moins dérangée.

— Excuse-moi, je grimace, mais tes draps sont sûrement contaminés par les germes de la moitié de la gent féminine de Seattle.

— Arrête un peu, Cody, ce n'est pas vrai.

— Ah bon ?

— Pour Clem, ça fait un bail… Oh, laisse tomber. Je vais les changer.

— Le divan me convient très bien, je te répète.

— Et moi, je te répète que je vais mettre des draps propres, bordel !

Il est exaspéré. Je peux comprendre. Il est 5 heures du matin, il revient à peine d'une tournée durant laquelle il a dormi par terre ou dans une camionnette. Pourtant, il refait le futon, tapote les oreillers, replie la couette dans un coin. Je ne résiste plus et me couche. Les chats s'installent à mes pieds, leur place habituelle, j'imagine. Ben se lave les dents, puis le plancher craque sous son poids, et il s'encadre sur le seuil. Durant un instant, je redoute qu'il entre… et que ça ne me gêne pas. Mais il se contente de rester planté là.

— Bonne nuit, Cody.

— Bonne nuit, Ben.

Je me réveille à midi, reposée. La douleur physique que j'éprouve depuis la mort de Meg et qui est comme une seconde peau a disparu. J'entre dans la cuisine. Déjà debout, Ben boit un café en bavardant avec ses colocataires, auxquels il me présente. Il déjeune d'un bol de céréales, propose de m'en préparer un.

— Laisse, je m'en occupe.

Je m'empare d'un bol sur l'égouttoir, déniche les céréales dans leur placard, fais comme chez moi. Curieux. Ben sourit comme s'il devinait cet inédit que je ressens. Puis il reprend sa conversation, raconte sa tournée à ses potes. Ces derniers sont sympa. Je m'attendais à des rockeurs comme lui, mais ce sont des étudiants ou des salariés. L'un d'eux vient d'une ville à trente kilomètres de la mienne et, à l'unisson, nous déplorons que l'est de l'État de Washington soit coincé dans une sorte de vide temporel et nous demandons pourquoi, une fois traversée la chaîne des Cascades, les gens se mettent à avoir l'accent du Sud.

Le soleil brille, le mont Rainier domine Seattle de toute sa splendeur, en l'un de ces jours qui vous feraient oublier les événements qui se sont déroulés entre octobre et avril. Ensuite, Ben et moi allons au jardin. Sur l'un des murs latéraux est entassé un gros tas de planches recouvertes d'une bâche.

— Qu'est-ce que c'est ?

— De quoi occuper mes nombreuses heures de loisir, élude-t-il en haussant les épaules.

Je soulève le plastique. Dessous, des rayonnages entamés, dont les arêtes inclinées et bien propres sont identiques à celles des étagères de la maison.

— C'est toi qui fabriques ça ?

De nouveau, il hausse les épaules.

— C'est super chouette.

— Remets-toi. Ça n'a rien d'extraordinaire.

— Je suis légèrement surprise, c'est tout.

Assis sur les marches en bois, nous contemplons Pince-mi et Pince-moi qui courent après des feuilles et se culbutent mutuellement dans l'herbe.

— Ils savent s'amuser, ces deux-là, constate Ben.

— En se battant ?

— En étant, tout simplement.

— Alors, il serait sûrement bien que je me réincarne en chat.

Il me lance un coup d'œil en biais. J'insiste :

— Ou en poisson rouge. En un animal idiot, quoi.

— Hé ! proteste-t-il, faussement choqué que je traite les chatons d'idiots.

— Regarde comme leur vie est simple. À quoi bon être intelligents, si ça doit nous rendre marteaux ? Les bêtes ne se suicident pas, elles.

Ben observe Pince-mi et Pince-moi qui, à présent, se disputent une brindille morte.

— Nous n'en savons rien, objecte-t-il. Elles n'avalent pas de poison, mais elles arrêtent peut-être de s'alimenter ou se séparent du troupeau afin de s'offrir en pâture à un prédateur.

— OK. Il n'empêche, j'aimerais être aussi insouciante que ces deux garnements. Je commence à penser que je ne l'ai jamais été. Et toi ?

— Enfant, oui. Après le départ de mon père, avant que ma mère se mette à la colle et attende ma sœur. Mes frères et moi partions en exploration, nous baignions dans la rivière, construisions des cabanes dans les bois derrière chez nous. Une vie à la Tom Sawyer.

Je le dévisage, en m'efforçant de l'imaginer jeune et libre de tout fardeau.

— Pourquoi tu me reluques comme ça ? demande-t-il. Tu crois que je n'ai pas lu *Tom Sawyer* ?

Je ris, et ce bruit sonne étrangement à mes oreilles.

— J'ai aussi lu *Huckleberry Finn*. Je suis un grand intellectuel.

— Si tu le dis. En tout cas, tu es malin. Meg ne t'aurait pas supporté, sinon. Aussi beau sois-tu.

Sentant que je m'empourpre, je détourne les yeux.

— Tu n'es pas mal non plus, Cody Reynolds. Pour une tête de nœud, s'entend.

Je pivote vivement vers lui et, un instant, j'oublie tout. Puis je me rappelle que je n'ai pas le droit d'oublier.

— J'ai de nouveaux trucs à te révéler.

Les prunelles de Ben changent, comme un feu de circulation passe du vert à l'orange.

— J'ai découvert que Meg intervenait sur ce site de soutien aux suicidaires.

Il incline la tête. J'enchaîne :

— Ce n'est pas ce que j'appellerais du soutien.

Cette fois, ses iris virent de l'orange au rouge. *Stop.* Impossible de m'arrêter, cependant.

— Ce serait plus simple que tu lises ses messages. Je les ai imprimés. Ils sont dans ta chambre. Avec mes affaires.

Derrière lui, je remonte l'escalier. Il n'a pas prononcé un mot. La chaleur a cédé la place au froid, bien que le soleil brille avec ardeur. Je tends la liasse de feuilles à Ben, lui conseille de suivre la chronologie.

Je le regarde lire, et c'est comme si j'assistais à une ava-
lanche. Des congères qui basculent, se transforment
en vague, finissent en déferlement. Ses traits suivent
un processus identique. Mon ventre se noue de nouveau, phénomène cent fois amplifié par les émotions
que manifeste son visage. Après avoir parcouru la
dernière page, il repose le tout et me contemple. Son
expression est insoutenable. Pas le mélange de colère
et de culpabilité – j'y suis habituée. Mais l'effroi, qui
amorce la bombe au fond de mon estomac.

— Putain ! grogne-t-il.

— Je sais. Ce type y a contribué. À sa mort.

Sans répondre, il va chercher son ordinateur portable. Il ouvre sa messagerie, sélectionne les mails de
Meg, les fait défiler jusqu'à ce qu'il déniche le bon. Il
a été écrit deux semaines avant qu'elle se tue.

— Lis-le, me souffle-t-il d'une voix éteinte.

Du doigt, il désigne le milieu de l'écran.

Je ne suis pas beaucoup venue à Seattle, ces
derniers temps, tu l'auras sans doute remarqué. Parce que j'étais un peu mal à l'aise après
ce qui s'est passé entre nous, je l'avoue. Je
suis d'ailleurs encore éberluée par mon attitude. Mais j'ai changé. Tu te rappelles m'avoir
conseillé de trouver quelqu'un d'autre à qui
parler ? C'est fait. J'ai maintenant tout un
tas d'interlocuteurs. Des gens incroyable-
ment intelligents qui ont une vision très anti-
conformiste de l'existence. Tu sais l'attrait qu'a
toujours eu sur moi l'idée d'aller à contre-
courant. Raison pour laquelle, à mon avis,

j'aimais fréquenter les groupes dans les bars. Mais vous autres musiciens n'êtes pas de véritables rebelles. Il y a tant de pistes possibles, de manières de vivre, de définir sa vie, sa vie à soi seul. L'homme a l'esprit étriqué. Une fois que tu l'as compris et que tu as décidé de ne plus tolérer les contraintes artificielles, tout devient envisageable. C'est très libérateur. Voilà ce que m'ont appris mes nouveaux amis. Ils me fournissent une aide précieuse. Je suis sûre que les gens s'étonneront de la direction que j'ai empruntée, mais n'est-ce pas ainsi que fonctionne l'univers du rock punk ? Il faut que je me sauve, j'ai un bus à prendre.

Je relève les yeux. Ben est avachi dans un coin du lit.

— Elle a essayé de me le dire, murmure-t-il. De me parler de ces dingues. De m'avertir.

— Tu ne pouvais pas deviner à partir de ce seul message, j'objecte.

— Elle a tenté de me prévenir, s'obstine-t-il. Dans *tous* ses mails. Et moi, je l'ai envoyée bouler.

Il abat son poing sur le mur, le plâtre se fissure. Il recommence, se met à saigner.

— Ben ! Arrête !

Me ruant sur lui, je retiens sa main, l'empêche de frapper à nouveau la paroi.

— Arrête ! Ce n'est pas ta faute ! Pas ta faute ! Pas ta faute !

Je serine ces mots que j'aimerais tant qu'on me dise aussi. Brusquement, nous sommes en train de nous embrasser. Je savoure sur ma langue le chagrin et le désarroi de Ben, ses larmes et les miennes.

— *Cody !* chuchote-t-il.

Son timbre est si tendre que je retombe aussitôt en pleine réalité. Je me relève d'un bond. J'essuie mes lèvres. Je tire sur mon tee-shirt.

— Je dois y aller, j'annonce.

— Cody, répète-t-il.

— Il faut que je rentre chez moi. Maintenant !

— Cody, m'implore-t-il.

Mais je suis déjà hors de la chambre, dont je claque la porte pour ne pas l'entendre prononcer mon prénom encore une fois.

chapitre 21

Tricia est de bonne humeur. Pendant que je perdais gros à Seattle, elle gagnait encore plus gros au casino amérindien. Après avoir réglé la nourriture, l'hôtel et l'essence, elle est rentrée plus riche de deux cents dollars. Ce soir-là, à table, elle s'évente avec les billets de vingt dollars et décide que nous devrions les dépenser dans une folie. En général, pour elle, cela signifie un objet cher et inutile repéré au téléachat. Une sorbetière, par exemple, dont elle se servira deux fois avant de la transformer en réceptacle pour d'autres babioles sans intérêt.

— Qu'est-ce qu'on pourrait s'offrir ? me demande-t-elle.

— Un an d'abonnement à Internet.

— Tu veux bien arrêter avec ça ?

Je ne réponds pas.

— Toi, tu as un mec ! s'écrie-t-elle avec un petit sourire satisfait. J'en étais sûre ! Tu n'as pas intérêt à tomber enceinte !

S'il y a bien un conseil dont Tricia m'a rebattu les oreilles pendant toute mon enfance, c'est de ne pas commettre la même erreur qu'elle.

— Tu es allée à Tacoma… combien de fois, déjà ? Trois ? Maintenant, tu veux Internet pour jacasser sur des sites et faire ce qu'on fait sur la toile. Ose me soutenir qu'il n'y a personne !

Après notre baiser, Ben a essayé de me calmer, mais j'ai rassemblé mes affaires et suis partie à pied vers la gare routière. Du coup, il s'est senti obligé de m'y déposer en voiture.

— Ce n'est rien, Cody, a-t-il tenté de me rassurer sur le trajet.

— Comment peux-tu dire ça ? J'ignore si elle nous voit. Mais, qu'elle soit au paradis ou en enfer, si c'est le cas, elle doit être révulsée. Tu ne crois pas ?

— Aucune idée. Qui sait ?

— Moi. D'ailleurs, sans même parler d'elle, *je* suis dégoûtée.

Après ça, il l'a bouclée. À la gare, je lui ai demandé qu'il me transmette les longs mails de Meg, puis lui ai ordonné de m'oublier. Définitivement.

— Il n'y a pas de garçon, j'affirme ce soir-là à Tricia.

— Si tu le dis.

Au bout du compte, elle opte pour un brasero décoratif.

J'ai lu tous les messages d'All_BS que je suis arrivée à dénicher. Il n'y en a pas des masses. Assez cependant pour prouver qu'il était présent, attentif. Quant à son pseudo. All_BS, « all bullshit ». Un raccourci qui signifie quoi ? Que ces sites sont de la merde ? Que la vie est de la merde ?

Un jour, alors que je reviens de la bibliothèque, je croise Sue qui quitte le parking du restaurant vendant du poulet frit à emporter. Mon premier réflexe est de me cacher.

— Je te dépose quelque part ? me propose-t-elle en arrivant à ma hauteur.

J'inspecte brièvement l'habitacle. Ne s'y trouvent ni Joe ni Scottie. Juste un gros sac en papier d'où suinte déjà le gras. Sue le dépose sur la banquette arrière et m'ouvre la portière.

— Où allais-tu ? me demande-t-elle.

Comme si le choix de mes destinations était multiple.

— À la maison.

Ce qui est vrai.

— Tricia m'attend.

Ce qui ne l'est pas. Mais j'ai peur que Sue m'invite et que je ne sois pas en mesure d'assumer la situation, surtout maintenant, alors que j'ai dans la main la chemise pleine des délires de Solution finale.

— On ne te voit plus beaucoup, dit Sue. Je t'ai pourtant laissé des messages.

— Désolée, j'étais occupée.

— Ne t'excuse pas. Pour nous, il est important que tu reprennes une vie normale.

— C'est le cas.

Désormais, je mens avec une telle facilité que mes boniments n'ont plus l'air d'en être.

— Tant mieux, tant mieux.

Elle regarde la chemise, je transpire. Heureusement, elle ne pose aucune question. Le silence s'installe, s'agrandit, palpable comme la chaleur sur l'asphalte désert. Notre bourgade n'étant pas très étendue, nous sommes chez moi en cinq minutes. Je suis soulagée de découvrir la voiture de Tricia dans l'allée. Elle confirme mes racontars.

— Et si tu venais dîner un soir de la semaine prochaine ? suggère Sue.

Elle jette un coup d'œil au sac, derrière. L'odeur de graisse nous enveloppe, à présent.

— Si tu acceptes, je te préparerai le chili que tu aimes tant. Je me suis remise à cuisiner.

— Ce serait super, je réponds en ouvrant la portière.

Quand je la referme, j'aperçois le reflet de son visage dans le rétroviseur extérieur. Ça me permet d'apprendre que je ne suis pas la seule à donner le change.

Le lendemain, je fais le ménage chez Mme Driggs. C'est l'un de mes emplois les plus faciles, parce que la maison est en général immaculée. Je défais le lit. Les draps sentent la vieille dame, alors que Mme Driggs doit avoir à peine dix ans de plus que Tricia. Je récure la baignoire, lance la pyrolyse du four, lave les carreaux. Je garde la chambre de Jeremy pour la fin. Son côté fantomatique m'effraie un peu. La moquette à poils longs conserve les traces de l'aspirateur passé la semaine précédente.

Je le repasse, dans le coin de la pièce où était autrefois installé le vivarium, quand un bruit métallique résonne le long du tuyau. Je débranche l'appareil et déboîte le tuyau pour voir ce qui coince. Il s'agit d'une épingle à cheveux comme celles qu'utilise Mme Driggs pour retenir son chignon. Ainsi, elle hante la chambre vide de cette maison vide. Elle devrait adopter un animal de compagnie. Des chats, peut-être. Ça serait mieux qu'un serpent, même si les chats mangent des souris eux aussi. Le jeu serait quand même moins faussé qu'il l'était quand Jeremy nourrissait Hendrix, lorsque les rôles de la proie et du prédateur étaient déterminés à l'avance. Pauvre petite souris… Je suis en train d'y réfléchir, l'épingle entre les doigts, quand, tout à coup, la solution s'impose à moi. Pour faire sortir All_BS de son terrier, il suffit de lui agiter une souris sous le nez.

chapitre 22

Qu'est-ce qui ouvre l'appétit de quelqu'un comme All_BS ? Pourquoi a-t-il choisi d'aider Meg et pas, disons, Sassafrants ou le garçon qui posait beaucoup de questions sur la mort aux rats ? Comment vais-je l'amener à me prendre pour un vrai membre du clan ?

Je me replonge dans ses mails, en quête d'un schéma récurrent. J'en déduis que : il réagit plus aux interventions des filles qu'à celles des garçons, notamment des filles futées, il ignore les illettrés et les délirants. Il semble également porter un intérêt particulier à ceux qui commencent tout juste à envisager « de prendre le bus ». Enfin, il aime la philosophie – ses réponses sont truffées de citations – et paraît attiré par les messages empreints d'une véritable réflexion. Je ne suis pas étonnée que Meg lui ait plu.

La première étape est évidente : il faut que je poste quelques lignes. Une amorce, à l'instar de Meg. Pour me présenter, annoncer mes intentions suicidaires, tout en prenant soin de les formuler comme un questionnement existentiel. Si je suis trop sûre de moi, si j'ai déjà la mort aux rats, je n'aurai pas l'air d'une souris.

Plusieurs jours me sont nécessaires pour peaufiner mon approche. Je perds du temps sur le pseudonyme. Ceux qui me viennent à l'esprit ont tous un lien avec Meg. Or j'ignore ce qu'elle lui a raconté d'elle-même et je risque de me trahir. Un coup d'œil à la pile de mes livres empruntés à la bibliothèque me donne l'inspiration.

Kafkaïenne
Première salve

Voilà un moment que je songe à prendre le bus. Je suis prête à acheter mon ticket. J'ai juste besoin d'encouragements. Je m'inquiète pour ma famille, j'ai peur de me rater et, soyons honnête, de ne pas me rater. Les suggestions intelligentes sont les bienvenues.

J'ai à peine envoyé mon message que les regrets m'assaillent. Il sonne faux, ne me ressemble pas, n'évoque guère des tendances suicidaires. Je m'attends à ce que tous les internautes m'accusent d'escroquerie. Pourtant, le lendemain, je reçois plusieurs réponses gentilles favorables – *Bienvenue ! Félicitations !* –, comme Meg. Ce qui est curieusement gratifiant. Sauf qu'All_BS ne se manifeste pas. Si j'ai réussi à tromper quelques personnes, celle que je traque n'est pas dupe. Je change de nom, repense au mail que Meg a envoyé à Scottie, recommence.

CR0308
Survivante

Voici plusieurs mois maintenant que j'envisage sérieusement d'en finir avec l'existence. Ce qui me retient, c'est ma mère. Je n'ai qu'elle, elle n'a que moi, et je m'angoisse à l'idée de ce qui lui arrivera si je disparais. Mais puis-je continuer à vivre avec moi-même ? Vais-je y être obligée ?

Celui-ci non plus n'est pas terrible. Il serait injuste d'affirmer que Tricia ne m'a pas désirée, vu qu'elle m'a gardée. C'est plutôt que, à mon avis, elle ne désirait pas d'enfant. Quelle mère exige que sa fille de deux ans l'appelle par son prénom, parce qu'elle s'estime trop jeune pour répondre à « maman » ? Tricia serait secouée, si je me tuais, mais elle a hâte que je quitte la maison. Elle me le répète assez souvent.

Là encore, je déclenche des réactions. Certaines conviennent qu'une mère célibataire est un véritable obstacle. Quelqu'un me conseille d'attendre qu'elle se remarie, ce qui déclenche mon hilarité. Pour cela, Tricia devrait commencer par se marier. Avec ses liaisons qui dépassent rarement trois mois, j'ai du mal à envisager l'un et l'autre. Rien d'All_BS. J'ai l'étrange pressentiment qu'il en ira ainsi tant que je mentirai. Ce qui me met dans une impasse, parce que je ne vois pas comment dire la vérité.

Rebelote. Nouveau pseudo, nouveau mail. J'emprunte un nom vaguement inspiré par Meg, assez ambigu néanmoins pour qu'on ne fasse pas le lien entre nous. Et, au lieu de m'inspirer d'elle, j'essaie de me concentrer sur moi-même.

Pince-moi
Vérité

Récemment, j'ai perdu un être cher. Si fonda-mental pour moi que j'ai l'impression d'être à moitié morte. Je ne sais plus comment exis-ter. Ne sais même plus si j'existe, sans elle. Comme si elle avait été mon soleil, et qu'il s'était éteint. Imaginons que ça ait réelle-ment lieu. La vie ne disparaîtrait peut-être pas totalement de la planète, mais aurions-nous envie d'y vivre ? Ai-je encore envie d'y vivre ?

Le lendemain, le scénario se répète. Nombreux retours, sauf de la part d'All_BS. J'ai droit à quelques dissertations scientifiques extrêmement biscornues m'expliquant que le soleil a vraiment peu de chances de s'éteindre. D'autres remarques sont plus compassion-nelles. Certaines affirment que si je meurs, je retrouve-rai celle que j'ai perdue. Cette assurance me surprend. Comme si les membres de Solution finale avaient visité la mort et pris des notes avant de revenir faire leur rapport. Douchée, je me souviens que, pour un grand nombre d'eux, ces échanges constituent une sorte de divertissement. Je commence cependant à saisir le côté séduisant de ces forums. Hier, quand j'ai eu envoyé mon message, j'ai éprouvé un soulagement intense.

Bien que je joue la comédie, j'ai enfin pu parler vrai. Ça ne m'était pas arrivé depuis longtemps.

Quelques jours plus tard, profitant de mes heures chez les Thomas, je me creuse la cervelle pour trouver une façon de débusquer All_BS. Je suis tellement absorbée par mes pensées que je n'entends pas Mindy Thomas entrer dans sa chambre que je suis en train de récurer. Sinon, je m'éclipserais aussitôt en annonçant que je vais m'attaquer au garage, à la cuisine, à n'importe quelle autre pièce.

— Ça roule, Cody ? me lance-t-elle de sa voix chantante.

— Super ! je réponds, avec tout l'enthousiasme dont je suis capable quand je suis armée d'un plumeau.

Elle est suivie de sa bande de copines, des filles plus jeunes que moi d'un an et que je ne croise plus guère depuis que j'ai quitté le lycée. Sharon Devonne me salue de la main. Elle admirait beaucoup Meg, la traquait comme une star de cinéma. Meg avait beau prétendre que ça la dérangeait, elle l'appréciait. Surtout parce qu'elle était sympa avec Scottie. Il s'en était plus ou moins entiché en colo, quand elle avait été sa monitrice.

— Salut, Cody, dit-elle d'une voix timide.

— Salut, Sharon. Comment ça se passe, la terminale ?

— Bientôt fini.

— Des projets pour après ?

— Dormir.

— Tu m'étonnes !

— Vous savez quoi ? intervient Mindy en tapant dans ses mains. Je viens d'avoir une idée *géniale*. Invitons Cody à la fête. Mes parents, ajoute-t-elle à mon intention, s'en vont le week-end prochain. Ça va être la bringue de l'année, crois-moi ! En plus, enchaîne-t-elle sans me laisser le loisir d'inventer une excuse, ce sera idéal. Tu pourras nettoyer le bazar dans la foulée !

Elle s'éloigne en riant. Je reste figée sur place, trop ébahie pour réagir. Mindy et moi étions dans le même cours de danse, autrefois. Elle était toujours impeccablement équipée : justaucorps, jambières, pointes – le tout assorti. Tricia, elle, n'avait même pas de quoi régler la note. La prof, une de ses amies, m'accueillait gratuitement, et je m'habillais avec les moyens du bord : collants filés, débardeur, jambières dépareillées que j'avais dégotées dans une fripe. Puis, un beau jour, Mindy avait débarqué vêtue comme moi. J'avais cru que c'était pour se moquer, mais quand j'en avais parlé à Tricia, elle s'était esclaffée : « Cette petite morveuse te copie. » Je n'en étais pas aussi certaine qu'elle. En revanche, je le suis d'autre chose : il y a un an, Mindy Thomas ne m'aurait même pas adressé la parole.

Sharon s'attarde un instant.

— Oublie-la, me chuchote-t-elle. C'est une garce. Viens à la fête.

— Merci.

Je brandis mon plumeau pour lui signifier qu'elle doit partir. Elle hésite, comme si elle avait envie d'ajouter quelques mots, mais Mindy la hèle, et elle file.

Plus tard, à la bibliothèque, je repense à Sharon, à l'idolâtrie dont elle faisait preuve à l'égard de Meg. Bien qu'elle détonne sur la masse de nos concitoyens, Meg avait de réels admirateurs. Elle possédait ce talent. Les gens, les intelligents du moins, étaient attirés par elle : nos camarades de lycée, les musiciens qu'elle rencontrait sur la toile, All_BS, tous ont eu envie d'aller vers elle. Et moi ? Comment suis-je censée attirer All_BS ? Je n'ai pas le don de Meg. Même si on nous appelait Le Clan ; en réalité, il se réduisait à Meg. Moi, je me ligotais seulement à elle. Ce qui n'est plus possible. Je ne peux désormais compter que sur moi pour appâter All_BS. Je respire un bon coup. Je commence à taper.

Pince-moi
Re

Je ne réfléchis pas énormément à la mort, je ne l'imagine pas, je n'y aspire pas. Du moins, c'est ce qu'il me semblait. Mais, cette année, ma vie a été chamboulée par tant de tuiles que je commence à me demander si j'en ai encore une, de vie. Si ce que je croyais en être une n'a pas été un mirage ou de l'auto-aveuglement. En tout cas, j'estime aujourd'hui qu'elle n'en est pas une. Elle a plutôt des allures de persévérance, comme si je n'étais pas en droit d'aspirer à mieux. Bien que pas très âgée, je suis lasse. Même me lever le matin est une corvée. Mon existence me paraît n'être qu'une longue épreuve, sans joie ni accomplissement. Je ne vois pas

l'intérêt. Si on me disait que je peux rembo-
biner le film, annuler ma naissance, je crois
que je le ferais. Vraiment.
Est-ce que vouloir mourir est la même chose ?
Si oui, qu'est-ce que ça implique ?

Chapitre 23

Un soir, installée sur mon lit avec mon ordinateur, je repense aux messages que j'ai postés sur le forum de Solution finale et aux réponses qu'ils m'ont values. Il y en a désormais trop pour que je les imprime sans éveiller les soupçons de Mme Banks. Je me suis donc mise à les sauvegarder dans un dossier du disque dur. Soudain, la porte s'ouvre à la volée. Je rabaisse sèchement le dessus de l'appareil.

— Jamais tu frappes ? je lance à Tricia.

— J'y penserai le jour où *je* vivrai chez *toi*, me remballe-t-elle.

Je suis sur le point de lui rétorquer que je paie un loyer et que, par conséquent, je suis chez moi, quand je songe à la pleine boîte de billets cachée sous mon sommier – parler argent ne serait pas très avisé. Tricia tapote sur l'ordinateur, qui est chaud.

— J'ai lu quelque part que le risque de cancer est directement lié au temps qu'on passe devant ces écrans.

— Tout est cancérigène. Même le soleil.

— Oui, mais ces engins sont pires. À cause des radiations. Très malsain.

— Où as-tu pêché ces âneries ? Dans les multiples revues scientifiques auxquelles tu es abonnée ?

Ignorant la pique, elle va s'asseoir au pied du lit.

— Et toi, me demande-t-elle, que lis-tu, ces derniers temps ?

— Moi ?

— Oui, toi. Tu avais toujours le nez dans un bouquin, avant. Maintenant, c'est dans cet ordi.

Lorsque j'ai rendu les derniers ouvrages que Mme Banks m'avait réservés, j'ai soutenu que je les avais adorés, alors que je n'en ai pas fini un seul. Il est vrai que j'ai abandonné la lecture pour ne m'intéresser qu'au dossier que je constitue sur Meg et qui ne cesse de grossir. Je l'ai intitulé *Fac* pour tromper l'ennemi. All_BS ne s'étant toujours pas manifesté, j'en suis réduite à relire mes mails en réfléchissant au prochain.

— Qu'y a-t-il de si passionnant là-dedans ? insiste Tricia en désignant la bécane. Un monde parallèle ?

— Non. Rien que des uns et des zéros de programmation.

Faux. All_BS est quelque part dans cet univers. Meg aussi. Sans relever, Tricia observe les photos scotchées sur les murs de ma chambre : Meg et moi avec les Garcia lors d'une randonnée au mont Saint Helens, la cérémonie de remise de nos diplômes l'an dernier où elle affiche un sourire radieux et moi, un rictus bêta. Il y a certes des portraits de Tricia et moi, mais en moins grande quantité.

— Vous étiez comme le jour et la nuit, murmure-t-elle en examinant ce dernier cliché.

— Nous ne sommes... n'étions pas si différentes que ça !

Meg avait les yeux marron, les miens oscillent entre gris et noisette, mais c'est tout. Nous étions pareillement châtaines, et même si Meg avait le teint mat de son père, je bronze si vite l'été que nous en plaisantions – j'aurais pu passer pour la fille de Joe, ce qui n'était pas le cas, bien sûr. Notre insistance à souligner notre ressemblance me met mal à l'aise aujourd'hui. Était-ce une autre façon que j'avais de me ligoter à elle ?

— Il ne s'agit pas d'apparence, mais de personnalité, rétorque Tricia. Vous n'aviez rien en commun.

Je garde le silence.

— Heureusement, ajoute-t-elle.

— Ce n'est pas très gentil, ça.

Elle continue de fixer la photo des diplômes.

— Elle avait tout, reprend-elle. Une tête bien faite. Une bourse dans une université de riches. Cette machine hors de prix dont tu n'arrives plus à t'arracher, apparemment. (Elle se tourne vers moi.) Toi, tu n'avais que moi. Tu es intelligente, je te l'accorde, mais pas comme elle l'était. Tu t'es retrouvée coincée dans ce centre universitaire merdique et, si j'ai bien deviné, tu n'as même plus ça.

J'entortille autour de mon doigt un fil qui s'est échappé de mon couvre-lit. Jusqu'à en avoir mal. Merci, Tricia, pour cet exposé aussi précis de mon infériorité. Elle se sent obligée d'enfoncer le clou, qui plus est.

— Pourtant, bien que les cartes soient contre toi, tu t'obstines. Rappelle-toi, tu n'as pas interrompu les cours de danse gratuits de Tawny Phillips quand tu t'es foulé la cheville.

— Impossible, j'avais un solo important dans le spectacle *All That Jazz*.

J'avais oublié ce détail. Mindy Thomas avait été furieuse que j'obtienne le rôle qu'elle convoitait. Je ne pense pas que Tricia s'en souvienne non plus. Elle n'avait pas pu assister à la représentation à cause du travail. Ce sont les Garcia qui étaient venus.

— Ben voyons. Et au lycée, tu détestais les maths, ce qui ne t'a pas empêchée de t'acharner sur cette maudite trigonostique.

— Trigonométrie.

D'un geste, elle balaie la rectification.

— Tu as sué sur ces maths parce que tu voulais aller en fac. Ce que je veux dire, c'est que tu ne renonces jamais. Ni à la danse ni aux maths ni à rien. Alors que tu aurais toutes les raisons du monde de le faire. Tes marraines-fées t'ont refilé un tas de cailloux, tu les as lavés et tu t'es fabriqué un collier. Meg, elle, a reçu des bijoux et elle s'est pendue avec.

Je devrais défendre Meg. J'en ai conscience. Nous parlons de ma meilleure amie, là. Et puis Tricia se trompe. Elle n'a pas toutes les cartes en main. D'ailleurs, elle est sûrement motivée par la jalousie, parce que les Garcia ont été la famille qu'elle n'a jamais réussi à être.

Pourtant, je ne plaide pas la cause de Meg. Je ne suis peut-être pas la fille de Joe mais, en cet instant, j'ai vraiment le sentiment d'être celle de Tricia.

chapitre 24

Le lendemain, j'ai un mail d'All_BS. Tout simple :
Qui as-tu *perdu* ?

Il me faut une minute pour comprendre qu'il – car,
à ce stade, je suis convaincue que c'est un homme –
fait référence à mon message intitulé *Vérité*. Le premier signé Pince-moi. Autrement dit, il n'a pas réagi
tout de suite. Il a attendu, observé. Je perds une heure
à réfléchir à ma réponse, à ce qui sera le plus efficace,
puis je reviens aux fondamentaux. La vérité.

Pince-moi : La meilleure moitié de moi-même.

Vingt minutes plus tard, il se manifeste de nouveau.

All_BS : « Rien n'est plus désirable qu'être
débarrassé d'une affliction, mais rien n'est
plus effrayant qu'être privé d'une béquille. »
James Baldwin[1].

Pince-moi : Que veux-tu dire par là ?

---

1. *Chroniques d'un pays natal*, Gallimard, 1973.

La bibliothèque ferme avant qu'il écrive, ce qui me donne le loisir de méditer cette citation toute la nuit. Le lendemain matin, j'apporte mon ordinateur chez les Chandler, qui, par chance, ne verrouillent pas leur wi-fi. Je me réfugie dans la salle de bains afin de vérifier si j'ai un mail d'All_BS. Oui.

> All_BS : Celle que tu appelles la meilleure moitié de toi-même n'était peut-être qu'une béquille. Il est parfois terrifiant de devoir marcher sans quand on en a longtemps eu une. Si ça se trouve, ce que tu vis en ce moment n'est qu'une période d'adaptation.

C'est tout. Rien sur mes désirs de suicide ou le fait que l'affliction soit de vivre. Juste l'hypothèse que Meg était ma béquille. Le pire, c'est qu'il a raison. Meg me tirait vers le haut. Sans elle, je dégringole.

> Pince-moi : Donc, d'après toi, c'est temporaire ? Je ne devrais pas envisager de prendre le bus simplement parce que la perte que j'ai subie me bouleverse ?

J'entends Mme Chandler dans la pièce voisine. J'envoie vivement mon message et cache l'ordinateur. Je consacre la fin de la matinée à m'inquiéter d'avoir rebuté mon interlocuteur, et c'est pratiquement en courant que je file à la bibliothèque, après déjeuner. Je suis très soulagée de découvrir qu'il a réagi :

All_BS : Je ne dis rien de tel.

Pince-moi : Que dis-tu, alors ?

Il doit être connecté, parce qu'il répond immédiatement :

All_BS : Que dis-tu, TOI ?

Je réfléchis sérieusement avant d'écrire.

Pince-moi : Je ne sais pas ce que je dis. Je ne sais pas ce que je fais. C'est pour cela que je te pose la question.

All_BS : Oui. C'est pour cela que tu me poses la question.

chapitre 25

Mi-juin, Alice me téléphone. Bien que nous n'ayons pas été en contact depuis mon avant-dernier séjour à Seattle, elle jacasse comme si nous nous appelions au quotidien et m'informe de son actualité, à laquelle je suis plutôt indifférente.

— J'ai consulté une carte. Tu vis entre Spokane et Yakima, à l'est de l'État de Washington, c'est ça ?

En réalité, plusieurs centaines de kilomètres séparent ces deux villes. Que les gens croient à un simple saut de puce me réjouit. Je me garde bien de corriger Alice.

— Plus ou moins.

— Formidable ! Tu te souviens que je dois bosser comme animatrice dans une base de loisirs du Montana ? C'est juste à côté de Missoula. Je suis presque sûre que l'I-90 passe par ton patelin.

— Pas très loin, en effet.

— Extra ! Il y a environ sept heures de route entre Eugene et Spokane. Ça me prendra la journée et, le lendemain, je repartirai pour Missoula.

Je mets quelques secondes à comprendre ce qu'elle est en train de m'annoncer.

— Tu comptes faire étape chez moi ?

— Si ça ne te dérange pas.

Nous ne recevons jamais. Seule Meg a dormi chez nous, à quelques rares occasions. Je m'imagine déjà essayer d'expliquer qui est Alice à Tricia. Elle et Raymond ont l'air encore ensemble, à en juger par le nombre de fois où elle découche. Elle acceptera peut-être de rester chez lui cette nuit-là. Mais il suffira que je lui demande pour qu'elle refuse.

— Quand projettes-tu de venir ?

— Dans deux jours. Donne-moi ton adresse.

Je n'ai pas le choix. Le soir même, j'annonce avec décontraction que quelqu'un s'est invité.

— Ton petit copain ? s'enquiert Tricia d'un ton accusateur.

— Je n'en ai pas.

Je pense aussitôt à Ben, me le reproche puis me justifie en me rappelant qu'il était l'objet de l'inquisition maternelle la dernière fois que ce sujet est venu sur le tapis.

— Dans ce cas, avec qui causes-tu sur l'ordi ?

— Personne. De toute façon, ce serait impossible, puisque nous n'avons pas Internet.

— Que tu aimerais bien avoir, hein ? Tu rougis. Tu me caches des choses.

Elle n'a pas tort. Sauf qu'il ne s'agit pas d'un mec. All_BS et moi avons récemment délocalisé nos échanges, délaissant le forum pour un réseau de communication garantissant l'anonymat. Désormais, nous « parlons » souvent, même si nos conversations sont limitées aux heures d'ouverture de la bibliothèque, ce qui est frustrant.

Tout aussi frustrant, elles ne portent pas sur le suicide. Enfin, pas spécifiquement. Nous nous cantonnons à des généralités et, parfois, j'oublie qui est mon interlocuteur. La semaine dernière, après que j'ai mentionné que je couvais un rhume, il m'a envoyé une recette de tisane à base de gingembre et de jus de pomme. Lorsque la mixture s'est révélée efficace, j'ai plaisanté sur les soins prodigués. *Sympa de découvrir que quelqu'un s'en inquiète*, ai-je écrit. Il m'a demandé ce que j'entendais par là. J'ai commencé à répondre en évoquant Tricia, me suis rendu compte juste à temps de mon erreur et ai effacé le message.

J'ai dû apprendre à montrer plus de retenue, à ne pas réagir spontanément, sous peine de tout gâcher. Maintenant, je transfère ses mails dans le dossier de Meg et j'attends d'être rentrée à la maison pour rédiger les miens, que je n'expédie que plus tard, quand une occasion de me connecter se présente. C'est agaçant et pénible, mais prudence est mère de sûreté.

— L'invitée en question s'appelle Alice. Je l'ai rencontrée à Tacoma. Elle se rend dans le Montana, nous sommes une étape sur sa route.

Voilà. La vérité. Une partie du moins. Grâce à All_BS, j'ai compris que rester le plus authentique possible facilite de beaucoup le mensonge.

— Et les motels ? Elle ne connaît pas ?

— Je l'installerai dans ma chambre et je prendrai le canapé.

— Non, soupire Tricia. Dors dans mon lit, je m'arrangerai avec Raymond.

J'acquiesce comme si cette idée ne m'avait jamais effleurée.

Le soir suivant, à 18 heures tapantes, Alice déboule dans la rue en klaxonnant comme si elle ouvrait le défilé de la fête nationale. Quand des voisins sortent vérifier la raison de ce tintamarre, elle les salue joyeusement.

— C'est donc ici que tu habites ! s'exclame-t-elle.

Je hoche la tête.

— Je ne m'attendais pas à ça. C'est... si petit... Euh, pas la maison. Elle est grande. La ville.

Notre trois pièces est une boîte à chaussures en parpaings. Le qualifier de petit est déjà une litote.

— Ne te méprends pas, enchaîne Alice, assez embêtée. C'est que... tu es si dégourdie. On pourrait croire que tu viens d'ailleurs.

— Eh bien non. Ce bled, c'est moi tout craché.

Nous entrons. Je montre ma chambre à Alice, où j'ai mis des draps propres. Elle se laisse tomber sur le lit, contemple les programmes de concerts au mur ainsi que les photos de Meg et moi.

— Alors, Meg a grandi ici aussi ?

De nouveau, j'opine.

— Vous vous connaissiez depuis longtemps ?

— Oui.

Un cliché nous montre à un rodéo. Nous étions peut-être en CM2. L'époque des dents en avant.

— C'est toi, là ? demande Alice en se penchant.

— Ouais.

Il faudrait vraiment que je décolle ces photos et les range.

— Tu as sûrement un sacré passé, ici.

Je songe au Dairy Queen. À la fusée. Aux Garcia.

— Non, pas franchement.

Le silence tombe. Alice le rompt en annonçant qu'elle m'invite à dîner.

— Inutile de protester ! précise-t-elle.

— D'accord. Qu'est-ce qui te tente ?

— Qu'a-t-on, comme choix ?

— Le fast-food type. Le bar-grill où travaille ma mère. À fuir, crois-moi. Un boui-boui, un ou deux mexicains.

— Bons ?

D'après Joe, la cuisine de Sue est meilleure que celle de sa mère et largement au-dessus que celle de n'importe quel restaurant de la ville. Nous ne les fréquentions presque jamais d'ailleurs.

— Pas spécialement.

— Je suis passée devant un Dairy Queen. On pourrait aller là-bas ?

— Restons-en au mexicain, je décline en songeant au DQ, à Tammy Henthoff et à la clique d'habitués.

Nous échouons à la Casa Mexicana – box en cuir rouge et tableaux de matadors peints sur velours. Le serveur est un certain Bill, avec lequel Tricia est sortie – rien que de très ordinaire à Plouc-la-ville. Nous commandons nos plats, puis Alice demande une margarita fraise avec tequila. Bill lui réclame ses papiers.

— Et toi, Cody ? s'enquiert-il, moqueur. Une margarita sans alcool ?

Je déteste ce trou, où je ne peux même pas manger à l'extérieur sans redouter un piège.

— Un Dr Pepper.

Quand Bill s'est éloigné, je souffle à Alice.

— Tu as vingt et un ans ?

— Moi, non. Priscilla Watkins, si.

Elle me tend sa fausse carte d'identité. J'avoue être impressionnée, car je ne la soupçonnais pas d'avoir ce cran. Tandis que nous attendons nos boissons, les Thomas entrent. La mère m'adresse un vague signe de la main. Mindy, en pleine dispute avec sa sœur à propos d'un fer à défriser, me snobe. Je secoue la tête.

— Qu'y a-t-il ? me demande Alice.

Comment décrire Plouc-la-ville à une fille qui compare son lieu de naissance au paradis ? Bill arrive avec nos verres. Dès qu'il a tourné les talons, je m'empare de celui de ma compagne et le vide d'un trait.

— Commandes-en un deuxième.

Nous continuons de boire. Alice devient sentimentale, se met à évoquer Meg. Bruyamment : combien elle regrette de ne pas l'avoir mieux connue, comme elle est contente de m'avoir rencontrée. J'ai beau sentir qu'elle essaie d'être gentille, j'aimerais qu'elle se taise, vu que Mindy Thomas est à deux tables de nous seulement. La nourriture servie, Alice s'empiffre.

— Miam ! C'est délicieux. Nous n'avons pas de restau mexicain à Eugene !

— Mmm.

De mon enchilada, je retire un tas de fromage qui pèle comme la peau après un coup de soleil. L'écartant, je tente le riz.

— As-tu parlé à Ben McCallister ? me lance Alice, tout à trac.

Heureusement, la salle étant plongée dans la pénombre, elle ne peut me voir rougir.

— Non.

— Pas du tout ?

— Je te jure que non. Pourquoi lui aurais-je parlé ?

— Je n'en sais trop rien. Entre vous deux, il semblait y avoir… une étincelle.

Faible étincelle allume grande flamme[1]. Une citation d'All_BS au début de nos échanges. Dante, m'a-t-il certifié. Je crois qu'il essayait de m'expliquer comment de simples réflexions rêveuses pouvaient mener à vouloir changer radicalement de vie. Il m'encourageait, et je me suis rappelé de ne pas me laisser bercer par ces paroles, parce que le changement de vie qu'il me vendait consistait à y mettre un terme.

— Il n'y avait rien de tel, je réponds en repoussant mon assiette.

— C'est sûrement mieux ainsi.

— Pourquoi ? je réplique aussitôt, consciente de la touche de défi dans ma voix.

— Et d'une, Meg était complètement dingue de lui.

---

1. *La Divine Comédie*, Le Paradis, chant I, vers 34, trad. Henri Longnon, Garnier, 1966.

— Je croyais que tu ne la connaissais pas ?

— Exact. Mais elle nous cassait les oreilles à son sujet, elle nous invitait à assister à ses concerts. Conclusion, elle en était amoureuse.

— Ses invitations n'avaient rien à voir avec un prétendu béguin. Elle était comme ça, c'est tout.

Alice ne répond pas, aspire le fond de son verre avec sa paille.

— À propos, reprend-elle, ça me revient. As-tu découvert la personne à qui elle s'était confiée, celle qui lui avait conseillé d'essayer les antidépresseurs ?

— Non.

— Je pense savoir de qui il s'agit.

— Ah bon ?

Cela ne m'intéresse plus, car mon but était de découvrir All_BS, objectif atteint maintenant.

— Je n'en suis pas certaine, mais je songe à Tree.

— Tu rigoles !

— Pas du tout, riposte-t-elle, piquée au vif

— Il est de plus en plus évident que Meg t'était carrément étrangère.

— Tu te répètes. Inutile de me le seriner, j'ai pigé. N'empêche, je crois vraiment que c'est elle.

Non. Meg aurait détesté Tree. Qui, au demeurant, ne m'a pas semblé très attachée à Meg.

— Pas elle, je marmonne.

Je suis fatiguée, tout à coup, j'ai l'impression de ne plus contrôler mon corps. Un peu tard, je me souviens pourquoi je n'aime pas être ivre.

— OK, OK, OK ! s'exclame Alice en agitant les mains. C'est à cause d'un truc qu'elle m'a dit. J'ai oublié quoi, mais je te conseille de la contacter.

Le lendemain matin, Alice s'apprête à partir pour sa merveilleuse aventure estivale, et moi à aller nettoyer des toilettes. J'ai la gueule de bois. Moins à cause de la tequila ingurgitée qu'à cause de ses effets. Pourquoi n'ai-je pas été plus gentille avec ma visiteuse ? Alors qu'elle se montrait adorable ? Et que, de plus, je l'apprécie plutôt ? Il faudrait que je m'excuse. Avant que j'aie le temps de trouver les mots justes cependant, elle s'éloigne en klaxonnant. J'agite le bras jusqu'à ce qu'elle ait bifurqué au coin de la rue. C'est en regardant une autre personne quitter Plouc-la-ville pour un endroit où l'herbe est plus verte que je comprends pourquoi j'ai été aussi méchante.

Les Purdue étant en vacances, le surlendemain est un jour chômé, et je me rends à la bibliothèque plus tôt que d'habitude. Le silence feutré et plaisant des lieux a cédé la place à des rires et des cris d'enfants. Aujourd'hui, c'est séance lecture pour les tout-petits. Alors que je gagne les tables du fond, je repère Alexis Bray au milieu du groupe. Elle tient sa fillette par la main. J'ai oublié comment s'appelle cette dernière, bien qu'elle ait accompagné Alexis à pratiquement toutes les cérémonies à la mémoire de Meg, sagement assise sur les genoux de sa mère. Après l'une d'elles, Alexis m'avait proposé qu'on aille prendre un café un de ces jours prochains. J'avais promis de l'appeler, je ne l'ai pas fait. D'ailleurs, je ne vois pas très bien pourquoi elle a envie de discuter avec moi. Ayant quatre ans de plus que nous, je ne la connais pas. Je sais juste qu'elle est sortie avec Jeremy Driggs, même s'il n'est pas le père de son enfant. Ce serait un militaire.

Alexis me salue d'un geste de la main. Mme Banks aussi, qui m'invite à m'asseoir dans l'un des box, à l'écart, où c'est plus calme. Relativement. Ces séances sont plutôt tapageuses. L'assistante est en train de raconter l'histoire d'un lapin qui ne cesse de menacer sa mère de quitter la maison. S'il le pensait vraiment, il ne dirait rien. Les fugueurs sérieux ne dévoilent pas leurs projets.

L'un des moutards s'éloigne du cercle pour s'approcher de moi en traînant des pieds. Ses couches lui tombent aux genoux, son tee-shirt Cars a une grosse tache qui ressemble à de l'urine mais pourrait être quelque chose de pire. Ça me dégoûte. Les mômes sont des parasites. Tricia devait estimer que j'en étais un. Meg aussi, peut-être.

La lectrice passe à un autre livre, consacré à des ballons qui disparaissent. Il me semble encore plus sot que le précédent. Ce qui explique sûrement pourquoi mon petit ami au derrière sale n'a pas envie de retourner là-bas. Il me dévisage de ses yeux aqueux. J'essaie de détourner la tête, ce qui n'est pas facile quand on vous fixe ainsi. L'effort que je déploie agite mon estomac comme le tambour d'une machine à laver. *Bang. Bang. Bang.* Je vois Alice dans les montagnes du Montana, en compagnie d'une flopée de gens aussi gais qu'elle. *Bang. Bang. Bang.* Je vois Hendrix gobant sa souris. *Bang. Bang. Bang.* Je vois Meg ouvrant sa lettre d'adieu sur son ordinateur : *J'ai le regret de vous informer…* Le gamin est toujours à côté de moi, ses doigts crasseux et collants à quelques centimètres seulement du clavier.

— Je te conseille de ne pas t'approcher, toi.

J'appuie cette déclaration de mon regard le plus menaçant, des fois que le ton ne suffise pas. Son menton se met à trembler, il fond en larmes. Sa mère se précipite et s'excuse, ce qui signifie qu'elle ne se doute pas de ce que j'ai dit. Alexis, en revanche, m'adresse un coup d'œil curieux – elle a sûrement deviné.

Voilà donc à quoi j'en suis réduite : je me dispute avec des bébés.

Je reviens à ma tâche. Je fais défiler les mails d'All_BS. *Faible étincelle allume grande flamme. Bande la corde de ton courage.* Le garçonnet sanglote à présent, bien à l'abri dans le giron de sa mère. J'ai honte, mais cette honte a le mérite de m'éclaircir les idées : soit je me jette dans des chamailleries absurdes, soit j'affronte de vrais combats.

L'heure a sonné que je bande la corde de mon courage. Ou que je tombe au champ d'honneur.

Coup sur coup, j'expédie deux messages. Le premier à Harry Kang, afin de lui demander quelles informations me seraient nécessaires si je voulais traquer quelqu'un sur le Net, car ; devenir la grande copine d'All_BS ne me sert à rien si je n'arrive pas à découvrir qui il est. Le second lui est justement adressé :

Je suis prête. Je veux franchir l'étape suivante. M'aideras-tu ?

Dès que j'ai appuyé sur la touche envoi, ma colère, mon angoisse et mon apitoiement sur moi-même s'évaporent, laissant place à une détermination calme et farouche. Meg l'a-t-elle également ressentie ? Le gamin a cessé de pleurer pour me toiser avec rancœur, le visage couvert de traces de larmes. Sans me dérober, je lui souris.

chapitre 26

All_BS ne perd pas de temps à me répondre. Toutefois, la teneur de sa missive n'est pas celle à laquelle je m'attendais. Au lieu de m'envoyer les dossiers que je le soupçonne d'avoir fait parvenir à Meg, il me sert une citation attribuée à Martin Luther King : *Avoir la foi, c'est monter la première marche, même quand on ne voit pas tout l'escalier.* À quoi il ajoute : *Tu as déjà franchi ce palier en prenant une décision.* Suit un lien qui me renvoie à une sorte d'annuaire des possibilités : médicaments, poisons, armes à feu, asphyxie, strangulation, noyade, monoxyde de carbone, saut dans le vide, pendaison. Il suffit de cliquer sur l'une d'elles pour obtenir une liste détaillée – les précisions sont incroyables – des pour et des contre, ainsi que des statistiques sur le taux d'efficacité de chaque méthode. Ce document est identique à celui que j'ai trouvé dans le dossier protégé de Meg, même si ce n'est pas le même.

D'autres mails suivent durant la semaine :

> « Si tu comprends que tout change, rien ne te retiendra plus. Si tu ne crains pas de mourir,

il n'est rien que tu ne puisses atteindre. »
Lao-Tseu.

Saisis-tu ce que signifie se débarrasser de la
peur ? Mourir n'est pas la fin de tout, mais
le début de quelque chose. Je pense au
pseudonyme que tu t'es choisi : Pince-moi.
Il ne doit rien au hasard, j'imagine. Te pincer
est exactement ce que tu fais. Comme on se
pince pour vérifier qu'on ne rêve pas. Tu es
en train de prendre conscience que ce n'est
qu'en aspirant à un geste audacieux, différent, que ta vie changera vraiment.

Je pressens qu'il est fier de moi. Résultat, je le suis
aussi. Je ne devrais pas, je sais, mais c'est plus fort que
moi. Je guette le moment où il m'interrogera plus spécifiquement sur mon projet. J'ai consacré des heures
à étudier la liste des courses suicidaires. Un peu malgré moi, j'ai en quelque sorte planifié la manière de
m'y prendre ou, plus exactement, j'ai tenté de réfléchir à un *modus operandi* comme celui qu'a suivi Meg.
Obtenir une licence professionnelle, commander le
poison, le faire livrer à une boîte postale, rédiger un
testament, mettre de l'ordre dans mes affaires, aller à
la banque chercher une coupure de cinquante dollars
pour le pourboire de la femme de chambre, écrire un
mail d'adieu, organiser son envoi, réserver un motel.
Les informations que dispensent les sites référen-
cés sur le lien d'All_BS sont tellement fouillées que je
sais quelles réactions se produiraient si j'absorbais un
poison. Sensation de brûlure dans ma gorge puis dans

mon estomac, fourmis dans les pieds annonçant que les effets débutent, crampes puis froid de la cyanose en cours. Je me suis représenté la scène tant de fois. Avec Meg d'abord, avec moi maintenant. Retour à la case départ, comme avant, quand je n'arrivais pas à nous distinguer l'une de l'autre. Quand je ne le souhaitais pas.

Aussi, j'ai hâte qu'il me demande si j'ai choisi une méthode. Auquel cas, je serai en mesure de lui répondre et je crois qu'il sera content. Malheureusement, il ne pose aucune question.

Alors, je peaufine mon plan d'action.

Un après-midi, après le travail, je suis dans la salle de bains, sur le point de me doucher. Je fouille l'armoire à pharmacie en quête d'un rasoir neuf et tombe sur l'un des énormes flacons de Tylenol que Tricia achète dans un magasin de gros. Mes lectures m'ont appris que ce médicament est un moyen affreux et terriblement douloureux mais peu coûteux d'en finir. Je ferme le robinet, réintègre ma chambre, où j'étale les pilules blanches sur mon couvre-lit. Combien faudrait-il que j'en prenne ? Combien pourrais-je en avaler à la fois ? Comment réussirais-je à ne pas vomir ? Ça paraît facile, quand je contemple ces cachets. Rien que je ne sois en mesure de faire. Là, tout de suite. Les manger. Sauter sur l'autoroute depuis une passerelle. Trouver une arme chargée chez quelqu'un. Je suis obligée de me rappeler que je ne souhaite pas mourir.

Une petite voix intérieure me rétorque : *Mais si tu le voulais, imagine comme ce serait simple…*

On sonne en bas, je sursaute. Et rougis aussitôt de honte. Je m'empresse de remettre les cachets dans leur récipient, de fourrer ce dernier dans l'armoire à pharmacie. Le carillon tintinnabule de nouveau. Scottie. Avec Samson en laisse. Il donne des coups de pied dans les feuilles mortes qui se sont accumulées sous le paillasson. Il me regarde, prend conscience de mon tee-shirt froissé et malodorant.

— Tu dormais ?

— Non.

Je ne dors guère, dernièrement, si bien que j'ai toujours l'air de sortir du lit. Je suis encore secouée par l'expérience que je viens de vivre. Aussi, lorsque Scottie propose que je l'accompagne promener le chien, je saute sur l'occasion.

Nous nous éloignons dans la pénombre de cette fin de journée. Je suis surexcitée. Un vrai moulin à paroles. J'interroge Scottie à propos du collège, ce qui me vaut un bref rappel : ce sont les vacances. Quand je lui demande à quoi il les occupe, il me signale avec un soupir qu'il est au centre aéré. Ce que je devrais savoir, puisqu'il y va tous les ans, comme Meg à son âge. Je suppliais Tricia de m'y inscrire, mais elle refusait de dépenser de l'argent pour ça alors qu'elle ne travaillait pas durant la journée. Mes étés se réduisaient donc à compter les heures en attendant que les Garcia rentrent à la maison.

Scottie continue de marcher, je continue de poser des questions idiotes, jusqu'à ce que la source se tarisse. Je m'apprête à lui demander s'il a de nouvelles blagues Madame et Monsieur ont un fils – lui et Meg passaient leur temps à en inventer, plus absurdes les unes que les autres. Ils riaient jusqu'à en pleurer. Ou à en péter. Moi, je secouais la tête en leur reprochant d'être grossiers, ce à quoi ils rétorquaient que j'étais dénuée de leur gène de l'humour bêta. J'avais beau savoir qu'ils plaisantaient, je n'appréciais pas. Je réfrène ma question. Du coup, je n'ai plus rien à dire. À ce stade, nous avons fait le tour de la ville, Samson a déposé deux crottes que, stoïque, Scottie a ramassées et mises dans des sacs en plastique.

— Tu cherches toujours ? lâche-t-il soudain.

— Quoi donc ?

— La personne. Du mot. Celle qui l'a aidée.

J'ignore pourquoi je suis aussi surprise. Puisque c'est lui qui m'a mise sur la voie. Mon visage me trahit sûrement, parce qu'il acquiesce légèrement, l'air de comprendre.

— Bien, commente-t-il.

Arrivés au bout de leur rue, il détache Samson.

— Attrape-le ! dit-il.

Je crois d'abord qu'il parle au chien, me rends compte qu'il s'adresse à moi.

Une fois à la maison, je vide le flacon de Tylenol dans les toilettes avant de l'enfouir au fond de la poubelle. Quelques jours plus tard, quand Tricia a ses règles et s'énerve de ne pas le trouver, je fais l'imbécile.

Chapitre 27

Je retourne à la bibliothèque et me casse le nez sur la porte fermée. Étrange. Je connais sur le bout des doigts les horaires d'ouverture. Si l'endroit est fermé les dimanches et lundis, il est accessible les mardis de 13 à 18 heures. Je vérifie la date sur mon portable : nous sommes bien un mardi, et il est 15 h 30. Je secoue le battant puis, d'énervement, lui assène un coup de pied.

Je reviens le lendemain, où la bibliothèque devrait être ouverte toute la journée, mais c'est le même topo. J'aperçois Mme Banks à l'intérieur, toutefois. Je frappe.

— Que se passe-t-il ? je lui demande quand elle déverrouille.

— Nous avons eu un petit incendie à cause d'un court-circuit ce week-end. Nous sommes obligés de réparer. En attendant, l'électricité est coupée. Voilà des années que nous alertons la mairie sur la vétusté du système, en vain. Réductions budgétaires.

Elle soupire et secoue la tête.

— Mais je fais comment ? je m'écrie.

La bibliothèque est devenue ma bouée de sauvetage, mon intermédiaire avec All_BS. Cela fait déjà quatre jours que nous n'avons pas communiqué, et je suis à cran. Mme Banks me sourit.

— Ne t'inquiète pas, j'ai pensé à toi, me dit-elle.

Elle repart à l'intérieur du bâtiment, en ressort avec un sac plein de livres.

— Garde-les jusqu'à la réouverture. Ça ne devrait pas prendre plus d'une ou deux semaines. C'est un prêt clandestin. Code d'honneur. J'ai confiance en toi.

Sur ce, elle m'adresse un clin d'œil complice.

Ma prochaine occasion de connexion ne survient que le vendredi suivant, chez Mme Chandler. Malheureusement, elle est à la maison, et il est hors de question de procéder en catimini. J'ai tellement envie de contacter All_BS que je finis par demander à ma patronne l'autorisation de rester après mon travail afin de vérifier mes mails sur son wi-fi. Elle me dévisage longuement.

— Vous n'avez pas Internet chez vous ? finit-elle par lâcher.

Gênée, je fais signe que non.

— Naturellement, reprend-elle. N'hésitez pas.

C'est avec une anxiété proche de l'hystérie que j'ouvre ma messagerie. Et si jamais All_BS avait perdu tout intérêt pour moi ? Dieu soit loué, je découvre toute une série de mails de sa part, qui n'attendent que d'être lus. Mon silence a joué en ma faveur. Habitué à avoir de mes nouvelles quotidiennement, sauf les dimanches et les lundis, il s'inquiète de ce que je ne lui aie pas répondu depuis une semaine. Le ton de ses envois est de plus en plus soucieux. Toutefois, je n'arrive pas à déterminer ce qu'il craint le plus : que je me sois suicidée sans l'avertir ou que j'aie changé d'avis. Tricia répète à l'envi que les hommes convoitent plus les femmes quand ils les croient hors de portée.

Je m'empresse de rassurer All_BS en arguant de soucis informatiques. Puis je songe à l'expression embêtée de Mme Chandler, et une idée me vient : *Je pense avoir des difficultés d'accès à Internet pendant plusieurs jours*, j'écris. *Or je ne sais pas comment je vais faire sans toi. J'ai déjà choisi la méthode mais si je ne prends pas très vite le bus, je risque de le rater. Serait-il possible de communiquer différemment ? Au téléphone, par exemple ?*

J'ai l'impression d'attendre sa réponse pendant une éternité, alors qu'elle survient au bout de cinq minutes.

Ce ne serait pas très avisé.

Je m'exhorte à patienter un peu avant de réagir. *Je ne vois pas d'autre solution.* J'ajoute mon numéro de portable. *Appelle-moi si tu peux.*

Rien ne se passe. Sans Internet, je suis bloquée. Même si je me le reproche, nos échanges me manquent. *Il* me manque.

Le travail m'ennuie. J'ai beau frotter et récurer, les maisons que je nettoie continuent d'avoir l'air défraîchi à mes yeux. Un matin que j'arrive chez les Purdue, je découvre la voiture de monsieur dans l'allée. Je me sauverais bien, mais pour aller où ? En appelant à toutes mes forces, j'ouvre la porte avec la clé que madame cache pour mon usage sous une pierre de pacotille. Je me trouve dans la cuisine, en train de sortir les produits d'entretien de sous l'évier, quand M. Purdue déboule, tout guilleret.

— J'ai pris un jour d'arrêt maladie, m'informe-t-il alors que je ne lui ai rien demandé.

— J'espère que vous vous rétablirez vite.

— Oh, je n'ai rien. Il s'agit plus d'un congé pour raisons psychologiques.

Sans relever, je file dans la salle de bains, où je m'enferme, même si ça m'obligera à respirer des vapeurs délétères. Je suis penchée au-dessus de la baignoire, un flacon de détartrant à la main, quand j'entends la porte s'ouvrir dans mon dos. La maison a deux salles de bains. M. Purdue pouvait utiliser la seconde. J'attends qu'il décampe, en vain. Au lieu de cela, il s'approche. Il est pieds nus, je perçois le craquement de ses orteils sur le carrelage. Je me redresse, me retourne. Sans lâcher ma bouteille de produit d'entretien, le doigt sur le pulvérisateur. Il avance d'un pas, ce qui est inutile, vu que nous sommes déjà trop près l'un de l'autre. Il avance encore. Je brandis le vaporisateur sous son nez, envoie une minuscule giclée de mise en garde dans sa direction.

— Donnez-moi une bonne raison, je dis. Rien qu'une.

J'espérais avoir adopté un ton dur. Mon timbre me paraît suppliant, cependant. Néanmoins, il lève les bras en signe de reddition et sort. Quand, plus tard, me parvient le bruit des pneus sur le gravier, ma colère s'est estompée. Mais, contrairement à la dernière fois où ce pervers m'a cherchée, je n'ai plus rien d'une Buffy triomphante. Alors que je l'avais averti, il s'est contenté de m'augmenter de dix dollars, puis il est revenu à la charge.

Ma soirée est morose. Tricia est avec Raymond, les voisins ont organisé une fête. J'empeste la Javel malgré ma douche, et j'ai le sentiment que ce n'est pas d'elle dont je n'arrive pas à me débarrasser, mais de la lubricité dont fait preuve M. Purdue. N'ayant pas la vaillance de relire mon dossier sur Solution finale, j'essaie de m'occuper différemment. Je feuillette quelques livres de la bibliothèque, mais les mots dansent sous mes yeux. J'ouvre l'ordinateur de Meg pour jouer au solitaire… et me retrouve de nouveau dans sa messagerie. Pour la centième fois, je scrute le trou dans sa correspondance, comme si les mails supprimés allaient se matérialiser devant moi d'un coup de baguette magique et répondre à mes questions. Remontant dans le temps, je relis les messages qu'elle a écrits à Ben, ceux qu'il lui a envoyés.

Fiche-moi la paix, Meg. Comme cette phrase m'a mise en rage ! J'ai du mal, aujourd'hui, à réveiller cette colère. Parce que, n'avais-je pas dit la même chose à Meg ? Sans recourir à des mots, c'est tout. M'en voulait-elle ? D'avoir été si proche d'elle ? De m'éloigner ? De n'être pas allée dans l'Oregon à Noël ? Je ressors le mail qu'elle m'avait expédié après que j'avais rompu le silence en lui racontant la première tentative de tripotage de M. Purdue : *Ha ! Le répugnant saligaud ! Je regrette de ne pas avoir été là. Je sais que tu seras toujours forte. Tu seras toujours ma Buffy.*

Je m'empare de mon téléphone. J'ai conservé les textos de Ben, bien qu'ils se soient interrompus après que je lui ai brutalement demandé de ne plus me contacter. Mon index s'attarde au-dessus du bouton d'appel. Je m'imagine lui parlant, lui expliquant ce qui est arrivé aujourd'hui avec M. Purdue, lui détaillant *tout* ce qui a eu lieu ces dernières semaines. Ce n'est qu'en entendant la première tonalité que je me rends compte que j'ai appuyé sur la touche. À la seconde, je me rappelle que son portable n'a pas arrêté de sonner, ce jour-là, alors que nous regardions la télé ensemble. Qu'une certaine Bethany s'accrochait. J'imagine mon appel déranger le moment qu'il passe en compagnie d'une fille – et, saisie d'une répulsion aussi soudaine qu'abrupte, je constate que je me suis autorisée à devenir Bethany. Je raccroche avant la troisième tonalité.

Dans ma mémoire, j'ai aussi un message d'Alice avec le numéro de Tree. Je n'ai pas appelé cette dernière, contrairement aux recommandations d'Alice, parce que découvrir qui était la mystérieuse confidente (ou le) avait pour seul but de dénicher All_BS. Cependant, l'amertume caustique propre à la blonde semble correspondre à mon humeur de ce soir. La hippie la moins *peace and love* sur terre décroche.

— Quoi ?

— Tree ?

Je me sens obligée de vérifier, bien que je l'aie reconnue.

— Qui la demande ?

— Cody… L'amie de Meg.

Un silence s'installe à l'autre bout du fil. Pas sympathique. Quand je comprends qu'elle n'a pas l'intention de le rompre, je me lance :

— J'ai… euh… J'ai vu Alice, il y a quelques semaines de cela.

— Félicitations.

Chère vieille Tree. Au moins, elle est fidèle à elle-même.

— Elle m'a laissé entendre que Meg t'aurait confié qu'elle envisageait de prendre des antidépresseurs. Un truc comme ça.

— À moi ? s'exclame mon interlocutrice d'une voix qui hésite entre le rire et l'aboiement. En quel honneur ? Nous ne nous faisions pas mutuellement les ongles, tu sais ?

L'image est si étrange que je manque de sourire.

— Moi aussi, j'ai trouvé ça surprenant, mais Alice se basait sur une phrase que tu aurais dite. Sauf qu'elle ne se rappelait plus laquelle.

— Elle ne m'a pas prise pour confidente. Mais une bonne âme aurait dû se dévouer et la forcer à avaler tout un flacon de médocs. Parce que, crois-moi, elle en avait rudement besoin.

Mon fantôme de sourire s'efface.

— Comment ça ?

— Je n'ai jamais rencontré quelqu'un qui dorme autant. Mis à part ma mère, quand elle sombre.

— Ta mère ?

— Elle est bipolaire. J'ignore si Meg l'était également. Je ne l'ai pas vue en phase maniaque. En revanche, je l'ai vue en phase dépressive. Et je sais de quoi je parle.

Je caresse l'idée d'évoquer la mononucléose et les coups de fatigue récurrents dont Meg souffrait depuis, de plaider qu'elle dormait comme cinq parce qu'elle dépensait de l'énergie pour dix. *Il lui faut un peu de temps pour recharger les batteries*, disait parfois Sue en me fermant la porte au nez, en me chassant.

— Et puis, poursuit Tree, les personnes en bonne santé ne parlent pas comme elle du suicide.

Les cheveux se hérissent sur ma nuque.

— *Quoi ?*

— Nous suivions un cours de féminisme ensemble. Un soir, elle, moi et quelques filles étions au café pour bosser ensemble quand Meg s'est mise à demander à toutes comment elles s'y prendraient pour se tuer. J'ai d'abord cru que c'était à cause de Virginia Woolf, dont nous étions en pleine lecture. Nous avions des réponses boiteuses, comme un pistolet, des médocs, se jeter d'un pont. Pas Meg. Elle a été très précise : « J'avalerais du poison, je le ferais dans un hôtel et je laisserais un gros pourboire à la femme de chambre. »

Une pause. Je me tais. Parce que, bien sûr, c'est exactement ce qui s'est passé.

— C'est là, enchaîne la blonde, que je lui ai balancé d'arrêter de broyer du noir et d'aller chercher du Prozac à l'infirmerie du campus.

Une amie m'a conseillé d'aller au dispensaire de la fac afin d'obtenir des médocs.

— Ainsi, c'était bien toi, je souffle.

— Moi ? s'exclame-t-elle, abasourdie.

— Elle a écrit quelque part qu'une amie lui avait donné le même conseil. J'ai interrogé des tas de gens, dont aucun ne s'est rappelé avoir dit ça ni y avoir seulement songé. Sauf toi.

— Je n'étais pas son amie.

— Moi, si. Sa meilleure, même. Pourtant, je ne lui ai rien suggéré de tel. Je n'y ai pas pensé.

— Alors, lâche aigrement Tree, toi et moi lui avons fait faux bond à part égale. Un partout, la balle au centre.

C'est là que je saisis les raisons de son animosité. Elle est liée à Meg. Aux tentacules de son suicide qui brûlent toute personne l'ayant côtoyée, y compris celles qui la connaissaient à peine.

— Excuse-moi, marmonne Tree.

— Elle t'a écoutée. Elle est bien allée au dispensaire et a obtenu des antidépresseurs.

— Que s'est-il passé, dans ce cas ? Ils n'ont pas fonctionné ?

— Pour cela, il faut commencer par les prendre, me semble-t-il.

— Elle ne l'a pas fait ?

— Quelqu'un l'en a dissuadée.

— Qui ? Pourquoi ? Ces machins ont sauvé la vie de ma mère.

Je repense aux âneries postées sur le site, selon lesquelles les médicaments risquaient d'insensibiliser son âme. Ce ne sont pas ces arguments, cependant, qui l'ont emporté, mais ceux de l'homme qui l'a convaincue que son existence ne méritait pas d'être vécue ; que la mort était la meilleure solution. Celui qui, à la toute fin, alors que j'aurais dû chuchoter à son oreille encore et encore à quel point elle était géniale, combien sa vie serait de nouveau formidable, a chuchoté à ma place. All_BS.

Tree a raison de parler de faux bond. Même si ça ne la concerne pas. L'unique responsable, c'est moi. J'ai trahi Meg vivante. Je ne la trahirai pas morte.

chapitre 28

Je suis en train de passer l'aspirateur chez Mme Driggs le lendemain, quand mon portable vibre contre ma cuisse. Je le tire de ma poche. Si je reconnais l'indicatif de Seattle, le 206, je n'ai pas le temps de décrocher. Quelques secondes plus tard, l'appareil carillonne afin de m'annoncer un message. Je le fixe, tandis que l'aspirateur mugit. Pourquoi a-t-il rappelé ? Sait-il que c'est moi qui lui ai téléphoné hier ? A-t-il seulement gardé mon numéro ? La voix d'accueil de mon répondeur est désormais préenregistrée, au cas où All_BS me contacterait. Quoi qu'il ait à me dire – *Qui êtes-vous ?* ou un truc du genre –, je ne tiens pas à l'entendre. Malgré tout, au moment d'effacer ce qu'il a pu raconter, j'hésite. C'est alors que l'engin sonne de nouveau. À la fois soulagée et honteuse, je réponds, le cœur battant.

— Salut !

Léger instant de flottement à l'autre bout du fil. Puis une voix demande :

— Pince-moi ?

Le moteur grondant encore à côté, il me faut une minute pour comprendre que ce n'est pas Ben.

Je vérifie le numéro de mon correspondant sur l'écran. Il ne commence pas par 206. Il est masqué.

— Pince-moi ? répète mon interlocuteur.

— Oui ?

— Sais-tu qui je suis ?

— Oui.

— C'est quoi, ce boucan ?

— Oh ! Je travaille.

— Moi aussi, dit-il, amusé.

J'attendais un timbre différent. Celui-ci est jovial, presque réconfortant. Comme si nous étions de vieilles connaissances. J'éteins l'aspirateur.

— Voilà. C'est mieux ?

— Oui, acquiesce-t-il avec un nouveau petit rire.

J'aimerais pouvoir étouffer le bruit aussi facilement à mon boulot. Enfin, je me suis déniché un coin tranquille. Excuse-moi de ne pas m'être manifesté plus tôt.

Je tends l'oreille. Au loin, je distingue des sons métalliques. Des caisses enregistreuses ?

— Il faut savoir choisir et limiter les risques qu'on prend.

— Oui.

— À propos de risques et de choix, t'es-tu décidée ?

— Oui.

— C'est très brave de ta part.

— J'ai peur.

La réplique est sortie d'elle-même. Elle reflète l'entière vérité. À croire qu'All_BS me tire toujours les vers du nez. Ce qui est un peu ironique.

— Sais-tu ce qu'a dit le général George Patton ? enchaîne-t-il. « Tous les hommes intelligents ont peur. Plus ils sont intelligents, plus ils ont peur. » Cela est également vrai pour les femmes, à mon avis.

Je ne réponds pas.

— As-tu arrêté une méthode ?

— Oui, je...

— Chut, m'interrompt-il. Cela ne regarde que toi.

— Oh ! Pardon.

Je ne suis pas déçue ; je suis anéantie. Je voulais tant lui en parler.

— As-tu mis de l'ordre dans tes affaires ?

Mettre de l'ordre dans ses affaires. C'est, mot pour mot, l'expression utilisée par l'un des sites vers lesquels il m'a renvoyée. La rubrique contient des conseils de rédaction de la lettre d'adieu et d'un testament légalement valide.

— Oui, je souffle, médusée.

— N'oublie pas que le contraire du courage n'est pas la lâcheté mais le conformisme. En choisissant ta propre voie, tu te rebelles contre ce conformisme.

Quelque part au fond de mon cerveau, des neurones notent que Meg aura adoré ce résumé, pour peu qu'il le lui ait servi. Elle était obsédée par l'envie de bousculer les choses. Jusqu'à la fin.

— À présent, comme pour tout, il s'agit d'aller au bout. Bande la corde...

— De ton courage.

J'ai fini la phrase à sa place. Sans réfléchir. Il observe un silence. Soupèse la situation. Je viens de commettre une erreur. Soudain, le tintamarre en arrière-fond résonne plus fort. Bips électroniques, ferraillement de pièces qui dégringolent. Des machines à sous. Beaucoup. J'identifie ce vacarme pour l'avoir entendu dans les casinos fréquentés par Tricia.

— J'avais pourtant fermé cette porte à clé ! aboie All_BS, d'une voix maintenant très différente.

— Désolé, Smith. Le verrou est cassé depuis des semaines.

Le bruit d'un battant qu'on claque vole jusqu'à moi, le tohu-bohu intrusif s'atténue.

— Mieux vaut s'arrêter là, déclare mon correspondant sur un ton solennel. Bonne chance.

— Attends !

Je veux qu'il m'envoie ce que j'ai découvert dans la corbeille de Meg. Les documents protégés, la liste des étapes à suivre. Des preuves supplémentaires qui me permettraient de le relier à la mort de Meg.

Malheureusement, il a raccroché.

chapitre 29

Le soir même, je contacte Harry Kang.

— Harry ? C'est Cody.

— Salut Cody !

Un klaxon déchire la cacophonie ambiante d'une foule de personnes en train de jacasser.

— Où es-tu ?

— En Corée. En visite chez ma grand-mère. Attends !

Je capte des bruits de mouvement sur la ligne, le carillon d'une porte. Le vacarme se calme.

— Voilà. Je me suis réfugié dans un salon de thé. C'est la folie, à Séoul. Comment va ?

— Je pense avoir rassemblé suffisamment d'informations. Du moins, je n'en obtiendrai pas plus.

Bonne chance. Les dernières paroles d'All_BS hantent mon esprit. Comme si nous avions évoqué mes examens avant que je quitte définitivement le lycée. Comme s'il savait que nous ne nous parlerions plus.

— Qu'as-tu ?

— Je ne te livre que ce dont je suis sûre. Enfin, je ne suis vraiment certaine de rien. Mais je crois qu'il est quelque part sur la côte Ouest. Son emploi du temps et le mien semblent plus ou moins correspondre.

— Voilà qui réduit l'éventail à plusieurs centaines de millions de suspects.

— J'ai mieux. Il travaillerait dans un casino. Las Vegas ?

— Où vit… quoi ? Un million de personnes ? Et encore, ce n'est que la ville. Il pourrait être n'importe où au Nevada, puisque les jeux sont autorisés sur tout le territoire de l'État.

— À moins qu'il s'agisse de n'importe lequel des nombreux casinos tenus par des Amérindiens.

— Exact. Autre chose ?

— Il est possible que son nom de famille soit Smith. J'ai entendu quelqu'un l'appeler ainsi.

— Utile, même si ce nom-là est le moins utile qui soit. C'est tout ?

— Oui. Il a brusquement interrompu notre conversation.

— Quoi ? Tu lui as parlé ?

— Il m'a téléphoné.

— D'un fixe ou d'un portable ?

— Aucune idée. Numéro masqué. Comme il était au boulot, j'en déduis que c'est plutôt d'un portable.

— Et il te contactait sur quoi ?

— Mon portable aussi. Je travaillais. De toute façon, ma mère a résilié notre abonnement fixe.

— Quand ?

— Quand l'a-t-elle résilié ?

— Non. Quand t'a-t-il appelée ?

— Aujourd'hui.

— Vraiment ?

Harry semble soudain plus intéressé.

— Oui ? Pourquoi ? Ce n'est pas bien ?

— Imprudent de sa part.

— Mal pour lui et bien pour nous, donc ?

— Éventuellement.

Même si je ne le vois pas, je devine qu'Harry sourit.

— Tu vas devoir m'autoriser à fouiller dans ton portable, reprend-il.

— Pas de souci.

— Envoie-moi tout ce que tu as sur ce Smith. Pseudo, comptes que tu as utilisés pour communiquer. Absolument tout. La moindre piste électronique. Par mail.

Si nécessaire, je suis prête à camper dans le jardin de Mme Chandler afin de profiter de son wi-fi. Même si Mme Banks m'a certifié que la bibliothèque allait incessamment rouvrir.

— Pigé.

— Autant que tu sois au courant, je risque de commettre quelques menues illégalités.

— C'est pour la bonne cause.

— Juste. Et puis, ma grand-mère me tape un peu sur le système. Je serai content d'avoir une distraction. Je te rappelle dès que j'ai quelque chose.

Le lendemain après-midi, plantée devant la maison vide des Chandler, je pirate leur réseau afin de satisfaire aux demandes de Harry. Le jour suivant, la bibliothèque est enfin accessible. Je m'y rends avec mon ordinateur portable afin de vérifier la messagerie anonyme sur laquelle All_BS et moi échangeons. Rien de neuf. Je me connecte sur Solution finale – *idem*. Il ne se manifestera plus, à mon avis. Ce qui n'est pas forcément grave. Je suis peut-être passée du statut de souris à celui de serpent.

Trois jours plus tard, Harry me recontacte.

— Ça n'a pas été facile, s'écrie-t-il, apparemment ravi.

— Tu l'as trouvé ?

Au lieu de me répondre, il se lance dans un récit compliqué, comme quoi All_BS s'est servi de Skype pour passer un appel en VoIP, au moyen non d'un portable, mais d'une tablette. S'il est complexe d'identifier un numéro de téléphone, ça l'est moins pour une interface utilisateur.

— C'est comme ça que tombent les criminels les plus prudents. Ils relâchent toujours leur vigilance.

— Alors ? j'insiste. Tu l'as localisé ?

— Je te le répète, ça n'a pas été simple. La tablette a été enregistrée au nom d'Allen DeForrest.

— C'est son vrai nom ?

— Je ne crois pas. En creusant, j'ai constaté que ce type est un internaute acharné. Il est partout. Facebook. Instagram. Photos et actus en pagaille. Pour moi, notre suspect ne peut qu'être plus discret. Suivant mon intuition, j'ai continué sur ce DeForrest. Figure-toi qu'il est chef de table au Continental Casino.

— C'est quoi, ça ?

— Un mec qui gère des tables de jeu. L'important, Cody, c'est que tu as vu juste. Ton gars bosse bien dans un casino. À Laughlin, au Nevada, le Vegas du pauvre.

— Mais tu dis qu'il n'est pas ce DeForrest !

— Exact. Premièrement, ton bonhomme est trop prudent pour se mouiller, ses talents de codeur en sont la preuve. Deuxièmement, nous cherchons un Smith, non ? Je suis entré par effraction dans le registre du personnel du Continental. Ils ont des tas de Smith, comme tu l'imagines. Mais seulement deux B. Smith.

— B ?

— All_BS.

— J'ai cru que ça signifiait *Que de la merde*.

— Moi aussi. Et c'est peut-être ça. N'empêche, les types comme ça, coupables de trucs pas nets, ont beau aimer l'anonymat, ils résistent mal au plaisir de se vanter. Du coup, je me suis dit que BS étaient peut-être ses initiales. Et comme nous avions déjà un nom. Bref, seuls trois B travaillent là-bas. Bernadette, Becky et… Bradford.

Je frissonne, soudain.

— Bradford ?

— Bradford Smith. Cinquante-deux ans. Employé du Continental. Il y a mieux. En vérifiant son passé d'internaute, sous son vrai nom s'entend, j'ai vu qu'il paie un accès hautdébit premium mais que, contrairement à DeForrest, il ne laisse que très peu de traces sur la toile. Ça correspond à son profil.

— Alors, ce serait lui ?

— Possible.

— Comment nous en assurer ?

— Tu reconnaîtrais sa voix ?

Nous n'avons eu qu'une conversation. Brève, mais indélébile.

— Je pense, oui.

— Super. J'ai réussi à dégoter son portable. Appelons-le d'un numéro masqué et organisons un entretien. Si on tombe sur sa messagerie, on n'aura qu'à écouter son répondeur. S'il décroche, je me ferai passer pour un télévendeur. Dans les deux cas, tu devrais pouvoir confirmer ou non si c'est lui.

— C'est tout ?

— Oui. Raccroche. Je te rappelle et te mets dans la boucle.

— Maintenant ? Il ne risque pas d'avoir des soupçons ?

— Tu soupçonnes les démarcheurs téléphoniques, toi ?

— Non. Tu as raison.

— OK. Qu'est-ce qu'on peut lui vendre dont il ne veut pas ?

— Il se trouve que j'ai été télévendeuse. Personne n'a envie d'une assurancevie. Et puis, le produit me paraît approprié. Traite-moi de bizarre.

Je dicte un scénario à Harry.

— C'est parti. À tout de suite.

Quand il téléphone de nouveau, la tonalité du portable de Smith sonne déjà.

— Chut ! m'intime Harry.

— Allô ?

La voix est mal aimable.

— Allô ? Je représente la société d'assurances Bonne Foi, se lance Harry avec une aisance déconcertante. Je me permets de vous contacter pour vous annoncer que nous avons baissé nos tarifs de manière très compétitive sur la région de Laughlin. C'est avec plaisir que nous vous proposons une analyse de votre contrat actuel. Sans engagement de votre part. Et si vous n'en avez pas, je serais ravi de discuter avec vous d'un investissement extrêmement raisonnable qui garantira votre avenir.

— Fichez-moi la paix, ça ne m'intéresse pas ! réplique l'homme en raccrochant.

Nous laissons planer un silence triangulaire : Harry Kang. Moi. Et la voix coupée d'All_BS.

CHAPITRE 30

Me voici de retour à la bibliothèque pour de nouvelles recherches. Plus faciles que les précédentes. Je n'ai qu'à vérifier comment rallier Laughlin. Le plus dur est passé. J'avoue être encore incrédule. J'ai traqué All_BS durant des semaines, au cours desquelles j'ai parfois eu l'impression de chasser un fantôme. Or, je le tiens. J'ai même une adresse. Hier soir, Harry m'a rappelée pour me donner toutes les informations dont il disposait sur Bradford Smith.

— Tu es un fichu génie, Harry Kang ! me suis-je écriée.

— Fichu, je ne sais pas, mais va pour le génie.

Une fois de plus, j'ai perçu son sourire dans ses intonations.

— Merci, en tout cas. Merci beaucoup !

— Merci à toi. Je me suis amusé. Et puis, j'ai le sentiment d'un devoir accompli. Pour Meg. Comptes-tu aller trouver la police ?

— Aucune idée. Je pensais me rendre là-bas en personne d'abord.

— Sois prudente, Cody, m'a conseillé Harry après un bref silence. Avoir des relations sur Internet paraît abstrait, j'en ai conscience. Mais ces gens sont réels, et certains d'entre eux ne sont pas des gentils. Pas du genre à vouloir être dans la même pièce qu'eux.

Parfois, il n'est même pas nécessaire d'être physiquement en leur présence pour que la catastrophe se produise.

— Je le serai, ai-je promis. Encore merci.

— Je te le répète, je suis content de t'avoir aidée. En plus, trouver quelqu'un n'est pas si difficile.

— Ah bon ?

— Pas pour moi, en tout cas, s'est-il esclaffé.

C'est alors qu'une idée m'a traversé l'esprit.

— Tu crois que tu pourrais localiser quelqu'un d'autre ?

Pour rejoindre Laughlin en car, il faut compter trente heures, trois changements et trois cents dollars. J'ai l'argent, prendre un congé ne posera pas de problème. Mais la perspective de soixante heures de trajet (aller-retour) toute seule me rend vaguement nauséeuse. Me plombe, même. Je ne vais pas réussir à accomplir cette mission avec pour uniques compagnons Bradford et Meg. Je dresse la liste des candidats potentiels. Il n'y en a aucun en ville. Pas question de m'adresser à Tricia ni aux Garcia. J'ai perdu de vue mes amis du lycée de qui, de toute façon, je n'ai jamais été très proche. Qui d'autre ? Sharon Devonne ? Les gens de Cascades ? Alice travaille encore dans son centre de loisirs, Harry ne rentre pas de Corée avant la mi-août, ce qui me laisse Richard le roi du pétard. Ça pourrait être pire. Il est rentré dans sa famille à Boise pour les vacances, et l'Idaho est sur la route. Je n'aurais qu'à me rendre là-bas en car, et nous ferions le reste du trajet en voiture.

Il reste une possibilité. Dès que je pense à lui, je comprends que ça ne peut être que lui. Parce qu'il est aussi mêlé à cette affaire que moi, au fond. Son message est toujours sur mon répondeur. Si je ne l'ai pas écouté, je ne l'ai pas effacé non plus. J'en prends connaissance : *Qu'attends-tu de moi, Cody ?* Certaines phrases peuvent avoir tant de significations différentes. Cette question est susceptible de receler l'exaspération, l'agacement, la culpabilité, la reddition. Je la réécoute, en m'autorisant cette fois à entendre vraiment le feulement rauque où peur et tendresse se mêlent sous les mots. *Qu'attends-tu de moi, Cody ?*

Je le lui dis.

chapitre 31

Ben propose de passer me prendre à la maison, mais je ne tiens pas à ce qu'il vienne ici. Nous convenons d'un rendez-vous samedi midi devant la gare routière de Yakima. Après, je téléphone à Richard.

— Ça fait un bail, Cody. Quoi de neuf ?

— Tu es occupé, samedi soir ?

— Pourquoi, tu cherches un rancard ? blague-t-il.

— Un lit, plutôt, je réponds sur le même ton, avant d'expliquer que je suis en route pour le Nevada et que j'aimerais faire étape à Boise.

— Il y a toujours assez de place chez les Zeller. Mais prépare-toi. Puisque c'est un samedi soir, mon pasteur de père risque d'exiger que ton dimanche soit placé sous le signe de Jerry.

J'ignore ce que ça signifie, j'imagine que c'est une référence au chanteur Jerry Garcia.

— D'accord. Il y a un os, cependant.

— N'est-ce pas toujours le cas ?

— Je serai avec Ben McCallister.

Richard le roi du pétard inhale profondément. Soit il est consterné, soit il tire sur un joint.

— Toi et lui seriez-vous… ?

— Non ! Rien de tel ! Je ne lui avais pas parlé depuis un mois. Il me donne juste un coup de main.

— Ben tiens !

— Arrête ! C'est au sujet de Meg.

— Oh ! murmure-t-il, grave soudain.

— Alors, tu peux nous héberger ? Nous partirons vers midi, nous devrions arriver vers 18 ou 19 heures.

— À l'aise. L'I-84 est limitée à cent vingt, mais personne ne roule à moins de cent trente. Ça vous prendra moins de temps.

— Et nous sommes tous deux les bienvenus ?

— Je te répète que la mangeoire du pasteur Zeller est ouverte à tous. Nous sommes habitués à ce que des âmes errantes dorment par terre. Pour toi, nous devrions même dénicher un canapé.

— Le plancher sera parfait.

— Tant que ce n'est pas le même que celui de McCallister.

J'attends le vendredi soir pour annoncer à Tricia que je m'en vais. J'ai déjà annulé mes heures du lundi et du mardi. Je pense être rentrée ce soir-là au plus tard. J'ignore pourquoi je suis nerveuse à l'idée d'avertir ma mère. Qui me gratifie d'un long regard.

— Où ça ?

Tricia ne me tient pas la bride haute. Mais si je lui dis la vérité, ça reviendra aux oreilles des Garcia. Or je ne veux pas qu'ils apprennent quoi que ce soit tant que je n'ai rien de solide, rien qui puisse les soulager.

De plus, je redoute qu'elle m'interdise d'y aller, malgré sa politique de non-intervention habituelle. Je mens.

— À Tacoma.

— Encore ?

— Alice m'a invitée.

— Je croyais qu'elle était dans le Montana ?

J'aurais dû retenir la leçon de mes échanges avec All_BS. Les boniments les plus sûrs sont ceux qui collent à la vérité.

— C'est le cas. Elle rentre juste pour le week-end.

Je croise les doigts pour que Tricia ait oublié qu'Alice vient d'Eugene. Elle me dévisage, soupçonneuse.

— Je serai de retour lundi soir. Mardi tout au plus.

— Faut-il que je te remplace chez tes patrons ?

Je secoue la tête. Certaines saletés peuvent attendre.

Comme je n'arrive pas à dormir la nuit de vendredi, je me lève tôt le samedi, emporte quelques affaires – ma boîte de billets, cinq cent soixante dollars désormais, mon ordinateur et mes cartes routières – et prends le premier car pour Yakima. Je suis sur place à 9 h 30 et m'installe dans un café déprimant près de la gare. Je déploie mes cartes devant moi. D'ici à Laughlin, il y a mille six cents kilomètres, à travers un bout d'Oregon et un d'Idaho. Ensuite, on longe le côté est de la colonne vertébrale du Nevada, jusqu'au sud.

La serveuse ne cesse de remplir ma tasse de café et moi de le boire, bien que ces litres de breuvage recuit provoquent des réactions abominables dans les acides de mon estomac, sans parler de celles qu'ils ont sur mes nerfs en pelote. Ces dernières vingt-quatre heures, je n'ai fait que regretter ma décision de contacter Ben. La porte carillonnant, je relève distraitement la tête et suis surprise de constater que c'est lui. Il est 10 h 30, je ne l'attendais que vers midi. Comme il faut entre deux et trois heures pour venir de Seattle, il s'est levé à l'aube ou a roulé pied au plancher. Ou les deux.

Mon premier réflexe est de me tasser sur ma chaise, histoire de m'accorder un répit. Mais bon. Je m'apprête à passer deux jours dans une petite voiture en sa compagnie, alors autant m'armer de courage. Je m'éclaircis la gorge, lance :

— Salut, Ben.

Durant une seconde, son visage n'exprime rien. Puis ses yeux balaient la salle avant de me découvrir dans mon box, mes plans sur la table. Il semble à la fois nerveux et soulagé. Encore une fois, ses traits sont un miroir de mes propres émotions, parce que c'est exactement ce que je ressens moi aussi. Il s'assoit face à moi.

— Tu es arrivée tôt, dit-il.

— Pareil pour toi, je réponds en faisant glisser mon café vers lui. Tu en veux ? Elle vient de me le verser. Il est tout frais. Enfin, dans la tasse, du moins.

Il enroule ses doigts autour de l'anse. Je le bois noir, lui également, je m'en souviens, à présent. Je l'observe. Ce matin, ses iris sont violets, presque comme des hématomes. Assortis à la couleur de ses cernes.

— Je n'ai pas dormi, se justifie-t-il.

— Moi non plus. Un virus, sans doute.

Il hoche la tête.

— Alors ? Quel est le programme ?

— On va jusqu'à Boise aujourd'hui. Chez Richard le roi du pétard… euh, Richard Zeller. Tu te souviens du coloc de Meg ?

— Oui.

— Il accepte de nous recevoir. Chez ses parents. Sauf si tu préfères aller ailleurs.

Il dispose sûrement de tonnes d'endroits où loger, de tas de copains musiciens prêts à l'héberger.

— Je vais où tu vas.

Une déclaration toute simple, qui prend cependant des allures de couverture douillette et protectrice.

— Comptes-tu m'expliquer ce qui se passe ? ajoute-t-il.

Lorsque je lui ai téléphoné, je me suis bornée à lui dire que j'avais découvert un type ayant un lien avec la mort de Meg et que j'avais besoin qu'on m'accompagne quand je lui rendrais visite. Rien de plus. J'ai jugé inutile qu'il découvre à quoi j'ai consacré ces dernières semaines, durant lesquelles nous avons été absents de l'existence de l'autre. Que ça ne l'intéresserait pas. Maintenant qu'il pose la question, je crains d'y répondre. Harry m'a envoyé quelques mails de mise en garde flanqués de liens renvoyant à des articles sur des filles ayant rencontré des garçons sur le Net et ayant subi des choses atroces. Même si j'apprécie sa bienveillance à sa juste valeur, j'ai trouvé ces avertissements hors sujet. Ces nanas nourrissaient des espoirs d'ordre sentimental, ces mecs étaient des dépravés. Rien de commun avec Bradford et moi. Imaginons cependant que Ben ne voie pas ça du même œil que moi ? Qu'il prenne peur ? Qu'il refuse de m'emmener là-bas ?

— Tu estimes que je ne mérite pas d'être dans la confidence ? insiste-t-il quand je ne moufte pas.

— Non. C'est juste que… (Je secoue la tête.) La route est longue.

— Pardon ?

— Nous avons le temps. Je te dirai tout. Plus tard. Promis. (Je marque une pause.) Comment vont les enfants ?

— Je t'ai apporté des photos.

Au lieu de sortir son téléphone, comme d'ordinaire, il produit une enveloppe pareille à celles dans lesquelles les photographes rangent les clichés développés et la pousse vers moi. Je l'ouvre, y découvre quelques tirages. Pince-mi et Pince-moi courent après un bout de ficelle, se lèchent mutuellement la figure, dorment roulés en boule au pied du lit de Ben.

— Qu'est-ce qu'ils ont grandi !

— De vrais ados, acquiesce-t-il. Pince-mi a rapporté une souris morte à la maison. Ce n'est qu'un début. Ils ne tarderont pas à m'offrir toutes sortes de cadavres, j'en suis certain.

— Des oiseaux. Des rats.

— Des opossums, de petits poneys. Ces deux brigands en sont capables.

J'éclate de rire. Ai l'impression que ça ne m'est pas arrivé depuis des siècles. Je lui rends les photos.

— Garde-les. Elles sont pour toi.

— Oh, merci. Tu veux manger quelque chose avant de partir ?

— Non, j'étais entré pour tuer le temps en t'attendant.

— Eh bien, je suis là.

— Tu es là.

Le silence embarrassé qui suit n'augure rien de bon pour les deux jours à venir.

— On y va, alors ?

— D'accord. Mais je te préviens, la prise de l'allume-cigare pour l'iPod fait des siennes. Résultat, écouter de la musique est un brin périlleux.

— Je m'en remettrai.

— Par ailleurs, et c'est moins important pour moi mais peut-être pas pour toi, la clim déconne. La traversée du désert du Nevada en plein mois de juillet risque d'être plutôt intéressante.

— Nous nous arrêterons dans des stations-service pour nous arroser d'eau et nous baisserons les vitres. C'est ce que Meg et moi faisions.

Je me tais abruptement. Tout revient à Meg. Toute ma vie, du moins.

— Bonne idée, commente Ben.

Nous sortons. Il déverrouille sa voiture. Étonnamment propre en comparaison de la dernière fois où j'y suis montée.

— Veux-tu que je prenne le volant la première ? je demande. À moins que les filles n'aient pas le droit de conduire ta caisse ?

— Je n'ai pas pour habitude de prêter ma caisse à quiconque, réplique-t-il avec un coup d'œil en biais. Mais puisque tu n'es pas une nana…

— Ah, c'est vrai, j'avais oublié. As-tu réussi à identifier mon espèce ?

— Pas encore, mais que ça ne t'empêche pas de t'y coller, dit-il en me lançant les clés.

Je me détends dès que nous avons rejoint l'autoroute. Bien que j'aie mon permis depuis mes seize ans, j'ai si rarement l'occasion de tenir un volant que j'oublie à quel point il est libérateur d'avoir une route ouverte devant soi et du vent dans les cheveux. Avec les vitres ouvertes et la radio à fond, la conversation est impossible, ce qui me convient parfaitement. Ben n'est pas en mesure de m'interroger sur Bradford ou le mois qui vient de s'écouler, ni d'évoquer notre baiser.

Dans l'après-midi, nous faisons halte à l'extérieur de Baker City, dans un endroit que Ben connaît. Un restaurant chinois en pleine cambrousse de l'Oregon oriental ne promet rien de bon à mon avis, mais il soutient que les beignets vapeur sont les meilleurs qu'il ait jamais mangés. Apparemment, il est souvent passé dans le coin, car il est clair que la jeune serveuse le connaît. Elle ne cesse de se trouver des excuses pour s'approcher de notre table et nous reverser du thé ou discuter avec lui. Du moins jusqu'à ce que sa mère, une femme sévère, finisse par émerger de la cuisine et la chasse.

— Tu m'impressionnes, je dis. Tu n'as que des amis, le long du couloir de l'I-84 ?

— Juste dans les restaus chinois. Sur l'I-5 aussi.

— Est-ce une admiratrice suite à un concert que tu aurais donné avec ton groupe ? j'insiste en désignant la fille qui lui sourit de toutes ses dents.

— Je ne suis pas venu ici avec le groupe, rétorque-t-il avec un regard peu amène. J'y ai déjeuné un jour avec ma jeune sœur, Bethany.

Le nom me dit quelque chose. Soudain, je me souviens qu'il s'agit de l'une des filles avec lesquelles il a jacassé au téléphone lorsque je lui ai rendu visite la première fois, à Seattle.

— Ta sœur ?

— Oui. Elle avait des problèmes à la maison. À l'époque, je squattais du côté de Portland. Du coup, j'ai déboulé, le grand frère héros, et je l'ai embarquée avec moi en voyage. Je comptais l'emmener dans l'Utah, dans le parc national de Zion. J'ai toujours rêvé d'aller là-bas. (Il remue son thé dans sa tasse.) La bagnole nous a lâchés ici. Foutue Pontiac.

— Qu'est-ce que vous avez fait ? De l'auto-stop ?

— Non. Bethany n'avait que onze ans. J'ai été obligé d'appeler mon beau-père pour qu'il vienne la chercher. Nous avons traîné dans les parages en l'attendant. Il était tellement furax, en arrivant, qu'il a refusé de me ramener à Bend. Comme je n'avais rien de particulier qui m'attendait à Portland, j'ai rallié Seattle en stop. C'est comme ça que j'ai atterri dans l'État de Washington.

— Oh !

Voilà qui ne correspond pas précisément à la légende de la rock star pourchassant ses rêves.

— Et Bethany ? Elle est où, maintenant ?

— Là-bas, lâche-t-il, les yeux brutalement vides.

Si je ne suis pas certaine de deviner ce qu'il entend par *là-bas*, son ton laisse supposer que personne n'aurait envie de s'y trouver.

— Terminons et reprenons la route, suggère-t-il. Tu sais comment c'est, avec la bouffe chinoise. Dans une heure, on aura faim.

— Ha ! Boise n'est plus qu'à deux heures d'ici. Richard m'a envoyé un texto pour m'annoncer qu'il y avait barbecue ce soir.

— Ah ouais ? s'exclame Ben, aussitôt de meilleure humeur. Un vrai ? Avec de la viande ? Sans tofu ?

J'expédie un message à Richard pour lui poser la question. Il me renvoie aussi sec une émoticône en train de vomir.

— Te voilà rassuré, je dis à Ben.

Nous repartons. Il conduit. Ce n'est qu'une fois sur l'autoroute que je me rends compte qu'il n'a pas fumé après le repas. De tout le trajet, à la réflexion.

— Si tu t'interdis de fumer à cause de moi, détends-toi.

Au même instant, je m'aperçois que l'habitacle n'empeste plus la cigarette comme avant. Avec une espèce de sourire pudique, il relève la manche de sa chemise pour me montrer un patch couleur chair.

— J'ai arrêté.

— Quand ?

— Il y a plusieurs semaines.

— Pourquoi ?

— En plus du fait que la clope est mortelle et chère ?

— Oui, à part ça.

Il m'adresse un coup d'œil ultrarapide avant de regarder de nouveau la route.

— J'avais besoin de changement, sûrement.

Vers 18 heures, nous atteignons les faubourgs de Boise. Les contreforts des collines entourant la ville sont nimbés de rouge, car le soleil s'incline déjà au couchant. À l'aide des instructions que m'a envoyées Richard, je guide Ben à travers le centre, au-delà de la base militaire, jusqu'à une jolie rue plantée d'arbres et bordée de maisons style ranches. Nous nous garons devant l'une d'elles, près de laquelle pousse une énorme bougainvillée orange. Une imposante camionnette blanche envahit l'allée.

— On y est, j'annonce à Ben.

Nous frappons, et je me morigène intérieurement d'être venue les mains vides. On est censé apporter un cadeau, quand on s'invite comme ça chez les gens. Il est trop tard, maintenant. Personne n'ouvre. Je sonne. Toujours rien. On entend pourtant le bruit de la télévision et de conversations à l'intérieur. Ben tambourine de nouveau sur la porte, sans résultat. Je suis sur le point d'expédier un texto à Richard, quand

259

McCallister tire le battant, passe la tête à l'intérieur et lance :

— Il y a quelqu'un ?

Une fillette accourt au triple galop, un sourire immense sur le visage ; sourire cependant abîmé par un bec-de-lièvre. Ou ce genre de malformation qu'on voit dans les campagnes qu'organisent des associations pour récolter des fonds.

— Nous nous sommes peut-être trompés, je chuchote.

— Wichard ! crie cependant la petite. Tes amis sont awwivés !

L'interpellé ne tarde pas à apparaître. Il soulève la gamine et nous fait entrer.

— Je vous présente CeCe, nous révèle-t-il en chatouillant sa charge sous les bras, lui arrachant des piaillements de plaisir.

Il désigne tour à tour trois autres enfants qui, vautrés sur des poires et des coussins, regardent un film.

— Et voici Jack, Pedro et Tally.

— Salut, je dis.

— Salut, dit Ben. *Toy Story* ?

— Le troisième, précise Pedro.

McCallister hoche la tête d'un air entendu. Richard repose CeCe par terre.

— Qui est-ce ? je lui demande à voix basse.

— La famille 2.0.

— Pardon ?

— Mes frères et sœurs. L'équipe de réserve. Même s'ils sont plutôt l'équipe joueuse, maintenant. Mon autre frangin, Gary, est dans le jardin, et ma sœur Lisa quelque part en Ouganda en train de travailler auprès d'orphelins ou autre noble mission de cet acabit.

Faisant coulisser une baie vitrée, il nous entraîne sur la terrasse. Ce n'est qu'à ce moment-là qu'il salue mon compagnon de voyage.

— Ben, marmonne-t-il avec réticence.

— Rich, répond Ben. Merci de nous recevoir.

— C'est elle que je reçois. Toi, tu fais juste partie des bagages.

Dehors, deux hommes se disputent au-dessus d'un feu, sous les yeux perplexes d'une femme debout dans la pataugeoire des enfants, habillée d'un short et d'un joli débardeur.

— Vous me préviendrez quand je devrai apporter les épis de maïs, leur crie-elle.

Nous apercevant, elle sort de la piscine et vient nous serrer la main.

— Jerry, les amis de Richard sont là. Bonjour, je m'appelle Sylvia. Tu dois être Cody, et toi, Ben.

— Merci de nous accueillir, je réponds.

— Et d'avoir organisé un barbecue, ajoute Ben en regardant avec appétit dans cette direction.

— Nous n'en aurons un que si ces deux têtes de mule arrêtent de se chamailler à propos du bois à brûler, réplique Sylvia.

— P'pa ! lance Richard.

Son père est très grand, tellement grand qu'il est voûté, comme s'il avait passé sa vie à se pencher pour écouter les autres.

— Bonsoir, murmure-t-il. Merci de nous rendre visite.

— J'espère que nous ne nous imposons pas.

— Vous aurez constaté que nous sommes déjà nombreux, s'esclaffe Sylvia. Deux de plus ne changent rien.

— Nous sommes arrivés à la conclusion que p'pa aspirait à avoir douze enfants, histoire de créer sa bande perso de disciples, intervient Gary.

— Mot qui suppose une certaine discipline, rigole l'intéressé. Obéir à son père, par exemple. Ce qui est loin d'être le cas dans cette maison.

Il se tourne vers nous, ajoute :

— Côtes de porcs au menu ce soir. Les garçons et moi avons des divergences de vues quant au bois à utiliser, entre le pacanier et l'acacia. Un avis ?

— Les deux iront très bien, je commence.

— L'acacia ! assène Ben.

Richard et son frère s'en tapent cinq.

— C'est la première parole intelligente que je t'entends prononcer, commente le premier, à l'adresse de Ben.

— Richard ! le gronde sa mère.

— Va pour l'acacia, alors, concède Jerry avec un geste désabusé. Le dîner sera prêt dans deux heures. Et si tu offrais à boire à tes amis épuisés par la route, Richard ?

L'interpellé arque un sourcil.

— Une boisson fraîche sans alcool, précise son père.

— J'ai préparé de la limonade, précise Sylvia.

— Les monstres l'ont terminée.

— Eh bien, refais-en. Nous avons des tonnes de citrons.

— Ma foi, contre mauvaise fortune…

Richard s'interrompt après m'avoir jeté un coup d'œil. Comme s'il était incorrect de plaisanter en ma présence. Comme je ne comprends pas pourquoi, soudain, il est aussi timoré en ma présence, je termine à sa place :

— Bon cœur. Va pour de la limonade !

Le dîner est tardif, chaotique et délicieux. Nous sommes dix à nous entasser autour d'une table de pique-nique, sous le ciel clair de l'Idaho. Ben engloutit tant de côtelettes que même Richard est impressionné. Lorsqu'il se justifie en expliquant qu'il vit avec des végétaliens, Sylvia ajoute quelques saucisses sur la grille, afin qu'il ne meure pas de faim. De mon côté, je me demande comment il arrive à avaler tout ça, vu sa maigreur, qui confine à l'émaciation. Pourtant, il en est capable, puisqu'il dévore deux hot-dogs, plus deux glaces en guise de dessert. Il est plus de 21 heures quand Jerry et Sylvia se lancent dans l'aventure épique qui consiste à donner leur bain aux petits surexcités avant de les coucher. Gary sort retrouver des copains. Richard ajoute quelques bûches au feu puis se faufile dans le garage, d'où il ressort avec des bières.

À travers la fenêtre, je vois son père qui lit un album aux quatre mômes dans leurs lits superposés. J'entends le fracas de la vaisselle que lave Sylvia. Mes yeux croisent brièvement ceux de Ben au-dessus de la lumière vacillante des flammes. Je jurerais que lui et moi pensons la même chose : *Certaines personnes ont vraiment de la chance.* Une bouffée de nostalgie me submerge alors. Tout ceci me manque. Ce qui est bizarre : comment une chose que je n'ai jamais véritablement connue peut-elle me manquer ? Si je l'ai eue, c'était de seconde main, *via* Meg. Comme à peu près tout dans mon existence.

Le bois pétille. Richard termine sa bière et cache la bouteille vide dans un fourré.

— Vous en voulez une autre ? nous propose-t-il.

— Il ne vaut mieux pas, décline Ben. Nous avons une longue route, demain.

Il m'interroge du regard, j'opine.

— Où allez-vous exactement ? lui demande notre hôte d'un soir.

Ben me renvoie la question d'un simple coup d'œil. Je ne lui ai toujours pas révélé le fond de l'histoire.

— À Laughlin, dans le Nevada, je réponds.

— Ça, j'avais pigé, réplique Richard.

Il se lève pour aller chercher une nouvelle bière pour lui dans la glacière et deux Dr Pepper pour Ben et moi. Mon cœur se serre, et je me reproche d'être ridiculement émue parce qu'il s'est souvenu du genre de boisson que j'affectionne.

— Ma question est plutôt : pourquoi là-bas ? reprend-il.

Je me tais. Ben aussi.

— Quoi ? C'est un secret ?

— Apparemment, lâche McCallister en me fixant.

— Parce que toi non plus tu ne sais pas ? s'étonne Richard.

— Je fais juste partie des bagages, riposte-t-il.

Ils se toisent sans aménité avant de se tourner vers moi. Dans la maison, Jerry et les enfants disent leurs prières du soir. Leur liste de personnes dignes de la clémence divine est interminable. Je finis par craquer :

— Bon, que ça reste entre nous, compris ?

— Cercle sacré, rigole Richard. Ou triangle. *Ménage à silence*[1].

Je le douche du regard, il redevient grave et promet.

— Vous vous souvenez que je suis venue à Seattle demander à Harry de m'aider avec l'ordi de Meg ?

Richard acquiesce.

— Nous y avions trouvé un dossier protégé. Il contenait des instructions émanant d'un groupe de soutien pour suicidaires. Soutien, au sens où ils encouragent le suicide. À force de creuser, j'ai découvert que Meg avait participé à des forums de discussion. Notamment avec un type. Une sorte de mentor. Qui l'a poussée à passer à l'acte.

— Ça craint, commente Richard.

— Oui.

— Je n'en reviens pas qu'elle soit tombée dans le panneau, poursuit-il.

— Je sais, j'admets sans grande conviction, parce que, maintenant que je connais Bradford, je peux

---

1. En français dans le texte.

comprendre. Bref, j'ai identifié cet homme et je vais le voir.

— Tu *quoi* ? s'insurge Ben.

— Je vais le voir, je répète, sur un ton un tantinet penaud.

— Je croyais que tu devais t'entretenir avec quelqu'un susceptible de te renseigner sur sa mort ! insiste-t-il. Comme avec les gens de Seattle.

Il fronce les sourcils, ce qui me donne l'impression d'avoir violé un traité. J'inspire longuement afin de stabiliser ma voix.

— Eh bien, je compte m'entretenir avec celui qui a *provoqué* son décès.

— C'est quand même *elle* qui s'est tuée, souligne Richard. Telle est la définition du suicide.

Nous nous défions du regard.

— Bradford l'y a fortement incitée, je regimbe.

— Ce qui rend encore plus géniale ton idée de le rencontrer ! peste Ben.

— Tu étais au courant que je le cherchais.

— Je ne savais rien, Cody ! Puisque, ces six dernières semaines, tu as refusé de m'adresser la parole !

— Ce n'est plus le cas aujourd'hui. Et ces fameuses semaines, je les ai consacrées à débusquer ce mec.

— Et comment t'y es-tu prise ? s'enquiert Richard, dont les yeux font la navette entre Ben et moi.

— Harry m'a aidée, même si j'ai abattu l'essentiel du boulot. Je me suis fait passer pour une personne suicidaire. J'ai endossé le rôle de la souris appétissante qui s'offrait au serpent affamé.

— Bordel de Dieu ! jure Ben. Tu es dingue ou quoi ?

— Comme Meg l'était, tu veux dire ?

Voilà qui a le don de lui fermer son clapet.

— Comment ça marche ? demande Richard. Se faire passer pour suicidaire ? Je n'ai l'expérience que de l'inverse, quelqu'un de suicidaire prétendant que tout allait pour le mieux.

Je pourrais les berner. Mentir, inventer. Au lieu de quoi, j'avoue la vérité.

— J'en ai appelé à la partie de moi-même qui était lasse de vivre. Et je l'ai mise en avant.

Je baisse la tête, incapable de supporter leur réaction, qu'elle soit de surprise, de colère ou de mépris.

— J'imagine que ça peut passer pour dingue, en effet, je poursuis.

Je jette un coup d'œil en douce à Ben. Il fixe le feu.

— Non, objecte Richard. Tout le monde connaît ça. Tout le monde a ses mauvais jours, imagine en finir. Sais-tu pourquoi mon père qualifie le suicide de péché ? ajoute-t-il en désignant la maison du pouce.

Jerry aide Sylvia avec la vaisselle, à cette heure.

— Parce que c'est un meurtre, je soupire. Parce que seul Dieu a le droit de décider quand ton moment est venu. Parce que voler une vie, c'est voler Dieu.

Je me contente de répéter comme un perroquet les horreurs que les gens ont sorties au sujet de Meg. Richard secoue la tête, cependant.

— Non. Parce que c'est tuer l'espoir. C'est ça, le péché. Tout ce qui tue l'espoir en est un.

Je médite ces mots pendant quelques instants.

— Qu'espères-tu, maintenant que tu as identifié et localisé ce type ? me demande Ben sur un ton
curieusement solennel.

— Il est coupable. Forcément. Ne serait-ce que
de complicité, un truc comme ça.

— Préviens les flics, dans ce cas.

— Ce n'est pas aussi simple.

— En as-tu parlé à la famille de Meg ?

— Là n'est pas la question.

— Rien ne la fera revenir, intervient Richard. Tu
en es consciente, n'est-ce pas ?

Oui. Là non plus, ce n'est pas la question. Même
si, dans mon esprit, la question est quelque peu floue.
Il m'est toutefois impossible d'aller trouver la police ou
les Garcia. Il faut que je fasse cela – quelque chose –
toute seule. Pour Meg.

Et pour moi.

Chapitre 32

Au matin, je suis tirée du lit par une coalition d'enfants Zeller qui prennent d'assaut le canapé. Après m'être habillée, je suis en train d'aider Sylvia à cuisiner des gaufres quand Ben débarque en se frottant les yeux.

— Tu préfères qu'on s'arrête en route pour boire un café ? je lui demande.

— Parce que vous partez déjà ? proteste Sylvia.

Je présente mes excuses, assure que nous avons déjà assez abusé.

— Vous n'avez abusé de rien du tout, riposte-t-elle. De plus, c'est dimanche.

— Le service commence à 10 heures, annonce Richard en surgissant dans la cuisine, vêtu d'un jean propre et d'un tee-shirt qui, une fois n'est pas coutume, ne proclame pas son amour de l'herbe. Restez. Le pasteur sera dévasté, sinon.

J'interroge Ben du regard. Nous ne nous sommes pas reparlé depuis hier soir. Il hausse les épaules, me laissant juge. Je dévisage Richard et sa mère, comprends qu'être venus les mains vides n'a aucune importance.

Qu'aller à l'église en a, en revanche. Je contemple mon short et mon débardeur.

— Je vais me changer.

— Inutile, me dit Sylvia. Notre congrégation ne fait pas de chichis.

À 9 h 30, notre convoi s'ébranle. Richard est avec Ben et moi dans la voiture, le reste de la famille dans la camionnette, sur le pare-chocs de laquelle un auto-collant proclame : *Vivons ensemble*. Devant l'église, les gamins Zeller embrassent tout le monde, tandis que leurs parents se mettent en mode accueil des fidèles. Richard, Ben et moi entrons.

Les bancs sont usés, une vague odeur d'huile de cuisine flotte dans l'air. C'est l'église la plus modeste où j'ai mis les pieds et, cette année, j'y suis allée souvent. Avant, ça ne m'arrivait presque jamais. Il y avait eu la communion de Meg et, quelquefois, la messe de minuit. Tricia travaillant tard le samedi soir, le dimanche matin est réservé à l'adoration des oreillers.

Le service ne ressemble à rien de ce que je connais. Il n'y a pas de chœur, par exemple. Il est remplacé par des gens qui viennent chanter en s'accompagnant à la guitare et au piano, et tout un chacun est auto-risé à participer. Certains morceaux sont religieux, d'autres, non. Ben est ravi quand un barbu entonne un air émouvant intitulé *I Feel Like Going Home*. Se pen-chant vers moi, il me souffle qu'il est de Charlie Rich, l'un de ses compositeurs préférés. Ses premiers mots normaux depuis notre dispute, hier soir. Je décide d'y voir une offre de paix.

— Magnifique, je chuchote.

Jerry ne se mêle pas trop des choses, et c'est un gars moins âgé que lui, à la tête du groupe de prières des jeunes de la paroisse, qui mène la danse. Quand on en a terminé avec les chants et les parlotes, il déplie sa grande carcasse de son siège, monte au pupitre et, d'une voix douce et pourtant pleine d'autorité, entame son prêche.

— Il y a quelques semaines, CeCe est tombée malade. Elle avait de la fièvre, était apathique, bref, elle avait attrapé ce virus qui traîne partout en ce moment. Je sais que vous êtes nombreux à en avoir été victimes.

Des murmures et des claquements de langue agitent l'assemblée.

— Comme Pedro n'avait pas école ce jour-là, il a été obligé de nous accompagner chez le médecin. CeCe n'aime pas les cabinets médicaux pour les avoir trop fréquentés dans sa courte vie. Elle s'agitait, elle pleurait, plus nous attendions, pire c'était. Or nous avons patienté un bon moment. Une heure s'est écoulée. Puis une heure et demie. CeCe n'arrêtait pas de sangloter. Elle a fini par vomir. Sur moi, pour l'essentiel.

Des rires de compassion résonnent.

— J'ignore si c'était à cause de la maladie, ou de l'énervement. Aucune importance. Mais une mère qui était là avec sa fille a clairement tressailli devant les déjections de CeCe. Puis elle m'a sermonné pour avoir exposé les autres enfants à la petite. D'un côté, je la comprends. Personne n'a particulièrement envie que son rejeton soit malade. Mais, en tant que père, j'étais furieux. Mentalement, j'ai accablé cette dame de noms d'oiseaux et lui ai adressé de nombreuses paroles fort peu chrétiennes. Nous étions chez le pédiatre justement parce que CeCe était patraque. Le comportement de cette maman n'était pas très charitable. Les infirmières, trop occupées pour nous aider, se sont bornées à nous donner des lingettes et un détergent. Et, pendant ce temps-là, ma fille continuait de pleurer.

» Quand j'ai eu terminé de la nettoyer, elle s'est endormie. Pedro a déniché un puzzle. Rien ne me pressant, je me suis emparé d'un magazine. Vieux de deux ans, puisque nous étions dans la salle d'attente du médecin. Je l'ai ouvert au hasard. Suis tombé sur un article parlant de la miséricorde. Attention, il ne s'agissait pas d'une revue religieuse. Juste d'un journal médical. Le reportage parlait d'une étude portant sur les bienfaits, en termes de santé, du pardon. Il semblerait qu'il abaisse la pression sanguine, diminue l'anxiété et tempère la dépression.

» J'ai alors compris qu'on m'avait envoyé cet article exprès. En le lisant, j'ai songé à l'Épître aux Colossiens, 3:13 : *Supportez-vous les uns les autres, et, si l'un a sujet de se plaindre de l'autre, pardonnez-vous réciproquement. De même que Christ vous a pardonné, pardonnez-vous aussi.* Voilà pourquoi j'ai absous tous ceux qui se trouvaient dans cette pièce : cette femme impolie, les infirmières débordées, le médecin en retard, et même CeCe et sa comédie. Ensuite, je me suis pardonné à moi-même. Je me sentais apaisé, plein d'amour. Je me suis alors rappelé pourquoi Dieu nous demandait de pratiquer la rémission des fautes. Non seulement parce que c'est une solution pour rendre le monde meilleur, mais aussi pour les répercussions que cela a sur nous-mêmes. L'absolution est un don de Dieu à nous-mêmes. Christ nous a pardonné. Il a pardonné nos péchés. Tel a été son don. En nous autorisant à nous pardonner les uns aux autres, il nous a offert l'amour divin. Cet article avait raison. La miséricorde est un médicament miraculeux. Le médicament miraculeux de Dieu.

Jerry continue sur sa lancée, cite d'autres extraits des écritures sur le même sujet. Malheureusement, en cet instant, je suis imperméable au pardon. Hier soir, je suis allée me coucher la première, laissant les deux garçons autour du feu. Comme ils ont du mal à se supporter, j'ai pensé qu'ils ne tarderaient pas non plus à rentrer. À présent, tandis que le laïus se poursuit, je me rends compte que ce n'est pas ça qui s'est passé. Des langues ont jaboté dans mon dos. Parlez-moi de cercle sacré du silence !

— Après la consultation, enchaîne Jerry, alors que je réglais à l'accueil, j'ai recroisé la mère mécontente. Ma rancœur s'était entièrement envolée. Elle avait disparu. Purement et simplement. Je lui ai dit que j'espérais que sa fillette se sentait mieux. Elle m'a regardé. Ce n'est qu'alors que j'ai constaté à quel point elle était épuisée, comme tant de parents parmi nous. « Ça va aller, m'a-t-elle répondu. Le docteur trouve qu'elle se rétablit vite. » Observant l'enfant, j'ai discerné une petite zébrure rouge et enflée sur son menton, toute récente. Me retournant vers la mère, j'ai distingué en elle quelque chose de beaucoup plus récent : une angoisse, pas en aussi bonne voie de guérison que la griffure de sa fille. J'avais envie de l'interroger sur ce qui s'était passé, mais Pedro et CeCe me tiraient par la main pour partir. De plus, cela ne me regardait pas. Je suppose cependant qu'elle avait besoin de se décharger de son fardeau, parce qu'elle m'a d'elle-même confié que, quelques semaines auparavant, un matin où elle était pressée, elle avait brutalement tiré par le bras sa fillette qui s'attardait près d'un parterre de fleurs. La petite, toute à son observation des abeilles, s'était cognée dans la barrière et s'était coupé le menton. "Elle aura toujours cette cicatrice" a précisé la mère d'une voix déformée par la culpabilité. Cela m'a permis de comprendre sa colère. Et à qui, en vérité, elle n'avait pas pardonné.

» "Seulement si vous aussi", lui ai-je dit. Elle m'a fixé, et j'ai deviné que ce que je lui demandais de faire, ce que Dieu nous demande de faire, ce que je demande à *tous* ici de faire, n'est pas aisé. Laisser nos cicatrices se refermer. Pardonner. Et, plus dur que tout parfois, nous pardonner à nous-mêmes. Si nous refusons de le faire, alors nous gaspillons le plus beau don de Dieu, son médicament miraculeux.

À la fin du sermon, Richard se tourne vers moi, presque hilare. Il semble fier. De son père. De lui-même. Pour avoir orchestré cette petite leçon publique.

— Qu'en penses-tu ? me dit-il.

Sans répondre, je me lève et m'éloigne.

— Qu'y a-t-il ? me lance Ben.

Il y a que Richard Zeller et son père ne savent pas du tout de quoi ils parlent. Ils ignorent les matins où la colère est la seule chose – la *seule* – qui vous permet de tenir jusqu'au soir. S'ils me retirent cela, je serai béante : plaie ouverte et à vif. Alors, je n'aurai plus la moindre chance. Ravalant des larmes rageuses, je gagne la sortie. Richard ne me quitte pas d'une semelle.

— Overdose de pasteur ? blague-t-il, bien que son regard soit inquiet.

— Tu as mouchardé. Tu avais juré le secret et, pourtant, tu lui as raconté. Sale menteur !

— Ça va bien la tête ? Je n'ai pas vu mon père avant le petit déjeuner. Auquel tu assistais.

— Comment est-il au courant, dans ce cas ? Au point de nous délivrer le prêche idéal ?

Richard jette un coup d'œil en direction du chœur, où des fidèles se sont remis à chanter.

— Pour ta gouverne, Cody, enchaîne-t-il, mon père prépare ses homélies des semaines à l'avance. Il ne se les sort pas du cul d'un coup de baguette magique. Sache aussi que tu n'es pas la seule à éprouver de l'aigreur et de la culpabilité. Mais comme mon vieux le dit, il suffit d'ouvrir la revue à la bonne page…

— Tu as fumé ? je l'interromps.

Il en rirait presque.

— Je n'ai pas informé le pasteur de ton voyage. La vérité, plutôt, c'est que j'ai été obligé de persuader McCallister de ne pas renoncer. Tu as plus de cran que lui, ce qui ne me surprend pas.

Les cantiques s'arrêtent. Richard montre l'autel.

— Reviens. C'est quasiment terminé… s'il te plaît.

Derrière lui, je remonte la nef. Jerry est en train de bénir ses ouailles, les malades et les endeuillés, les futurs mariés et les futurs parents. À la toute fin, il ajoute :

— Et que Dieu bénisse et guide Cody et Ben. Qu'ils trouvent non seulement ce qu'ils cherchent mais aussi ce dont ils ont besoin.

De nouveau, je fusille Richard du regard. Je ne suis pas convaincue qu'il m'ait dit la vérité quand il a affirmé ne pas avoir vendu la mèche à son père. Toutefois, en cet instant, la trahison, si trahison il y a eu, semble moins importante que la bénédiction.

chapitre 33

Devant l'église, Ben me lance les clés, comme s'il avait deviné que j'ai besoin de conduire. À Twin Falls, nous quittons l'I-84 pour la nationale 93. Ben bâille, ses paupières tombent. Il a campé sur le sol de la chambre de Richard et Gary. D'après lui, entre le premier qui ronfle et le second qui parle dans son sommeil, il n'a pas vraiment fermé l'œil.

— Fais la sieste, je propose.

— Non, ça serait enfreindre les règles.

— Quelles règles ?

— Du code de la route. Quelqu'un doit toujours rester éveillé à côté du chauffeur.

— Ça n'a de sens que si l'on est nombreux. Mais il n'y a que nous deux, et tu es fatigué.

Il me regarde en réfléchissant. J'insiste :

— Écoute, on n'a qu'à établir de nouvelles règles.

Il continue de me fixer. Puis il renonce, se tourne vers la fenêtre et sombre durant les trois heures suivantes. L'observer dormir a quelque chose d'enrichissant. Soit c'est le soleil, soit c'est mon imagination, mais le bleuâtre de ses cernes paraît s'estomper un peu.

Il ne se réveille qu'au bout de la nationale, quand je m'arrête à une station-service pour faire le plein. Une grande carte est suspendue à l'intérieur du bâtiment, avec un cercle rouge indiquant notre emplacement, à la jonction de la 93 et de l'autoroute I-80. Pour rallier Laughlin, nous devons pousser à l'est sur cette dernière, en direction de l'I-15, au sud de Salt Lake City. Si nous prenions vers l'ouest, nous filerions droit sur la Californie et le lac Tahoe.

Lorsque Harry m'a recontactée avec l'adresse que je l'avais prié de trouver, j'ai contemplé des photos du lac durant des heures. La ville où il habite ne donne pas directement dessus, mais elle n'est pas loin. Avec ces eaux bleues et claires, l'endroit m'a paru magnifique. J'interroge l'employé.

— On est à combien de Truckee, en Californie ?

Il a un geste d'ignorance. Un routier coiffé d'une casquette Peterbilt me renseigne. La ville serait à environ cinq cents kilomètres de là.

— Et vous avez une idée de la distance entre Truckee et Laughlin, dans le Nevada ? Ça représenterait un gros détour ?

— Vous rallongez sûrement votre trajet de cinq cents kilomètres, me répond-il en se frottant la barbe. Je dirais un peu plus de mille bornes depuis Truckee et huit cents d'ici. Par où que vous passiez, ça reste quand même une sacrée trotte.

Je le remercie, achète pour quarante dollars d'essence, une carte de la Californie, deux sandwiches et un litre de Dr Pepper. Je regagne la voiture, où Ben est à la recherche de ses lunettes de soleil.

— Tu penses qu'on sera à Laughlin ce soir ? s'enquiert-il.

— Possible. En tirant sur la corde. Nous sommes partis tard, nous n'y arriverions que vers minuit.

Je commence à faire le plein, tandis que Ben nettoie le pare-brise et les vitres.

— Autant en finir, non ? dit-il. J'ai rattrapé mon manque de sommeil. J'ai pioncé longtemps ?

— Quatre cents kilomètres.

— OK. Allons directement là-bas, alors. Je prends le relais.

Je cesse d'appuyer sur le pistolet, la pompe se tait.

— Qu'est-ce qu'il y a ? me lance Ben. Tu as changé d'avis ?

Il jette un coup d'œil à la carte que je tiens. Je secoue la tête. Je ne me suis pas ravisée, non. Je dois accomplir une mission. Pour en finir. Et puis, nous ne sommes pas loin. Enfin, pas tout proches non plus. À cinq cents bornes quand même. Qui plus est, l'adresse est peut-être erronée. Ou il en a changé. D'après Harry, il déménage souvent. Il n'empêche, je n'ai jamais été aussi près de lui depuis bien longtemps.

— Quand dois-tu rentrer chez toi ? je demande à Ben.

Il grattouille un papillon collé sur le pare-brise, hausse les épaules.

— Parce que je pourrais avoir envie de faire un détour.

— Par où ?

— Truckee. En Californie. Non loin de Reno.

— Et qu'y a-t-il à Truckee ?

Si quelqu'un peut comprendre, c'est lui.

— Mon père.

chapitre 34

Vers 22 heures, en pleine ascension de la Sierra Nevada, nous nous traînons derrière des camping-cars et des camionnettes qui tirent des bateaux à moteur. Ben a conduit six heures d'affilée. Nous avons besoin d'essence, d'un endroit où dormir, mais j'aimerais continuer d'avancer, arriver au but.

— Il faudra bien qu'on s'arrête à un moment ou un autre, dit Ben.

— Nous n'y sommes pas encore.

— Truckee est juste à côté du lac Tahoe. C'est l'été, l'endroit risque d'être bondé. Nous aurons plus de chance à Reno. Et puis, un hôtel avec casino sera moins cher.

— D'accord.

Un hôtel. La nuit dernière, nous n'avons pas eu à y penser.

Le centre de Reno est tapageur. Une fois que nous avons dépassé les gros établissements de jeux dont les frontons annoncent des groupes ayant connu le succès durant la jeunesse de Tricia, la ville tourne au carrément déprimant. Des motels délabrés vantent leurs machines à sous et leurs petits déjeuners copieux. Nous en choisissons un complètement minable.

— La chambre est à combien ? s'enquiert Ben.

— Soixante dollars, répond l'employé aux yeux chassieux qui me rappelle M. Purdue. Départ à 11 heures au plus tard.

— Quatre-vingts pour deux chambres que nous aurons libérées avant 9 heures.

J'abats les billets de vingt sur le comptoir de la réception. Ben fronce les sourcils en voyant le type reluquer ma poitrine. Mais il ramasse avidement l'argent et nous tend deux clés.

— C'est pour moi, je dis à Ben quand il essaie de me rembourser sa part.

Nous regagnons en silence la voiture, dont le moteur cliquette après le long trajet. Celui qui nous attend pour rallier Laughlin sera encore plus long. Attrapant mon sac, je me dirige vers ma chambre, qui est située à l'opposé de celle de Ben.

— Rendez-vous ici à 9 heures ! je lui lance.

— C'est lundi, demain, objecte-t-il. Plus tôt vaudrait sans doute mieux. Des fois qu'il parte travailler. Ce serait dommage de perdre une journée.

Ce détail ne m'avait pas effleuré l'esprit. J'ai perdu la notion du temps. Nous sommes partis depuis deux jours déjà.

— 8 ?

— 7. Truckee est encore à trente minutes de route.

— OK, va pour 7.

Nous restons enracinés sur place, nous dévisageons. Derrière nous, un van entre sur le parking en faisant crisser ses pneus.

— Bonne nuit, Cody.

— Bonne nuit.

Dans ma chambre, je songe à prendre un bain. Mais lorsque je découvre la baignoire défraîchie et son anneau de vieille crasse, j'opte pour une douche, m'attarde sous le jet parcimonieux. Je me sèche avec des serviettes aux allures de torchons, inspecte la pièce. *Le suicide peut constituer un rite secret de passage. Parfois, pour se l'approprier, il faut le rendre anonyme.* Tel est le conseil que j'ai trouvé dans le fichier protégé de Meg. Bradford est-il l'auteur de ces phrases ? Elles lui ressemblent. La chambre est exactement le genre d'endroit où Meg s'est tuée.

J'imagine la scène. Elle verrouille la porte après y avoir suspendu l'écriteau NE PAS DÉRANGER, elle prépare le mot et le pourboire pour la femme de ménage, elle entre dans la salle de bains et mélange ses produits chimiques, le ventilateur en marche pour éviter que les vapeurs alertent les autres clients.

Je m'assois sur le lit. Je me représente Meg guettant le moment où elle ressentira les premiers effets du poison. S'est-elle allongée tout de suite ou a-t-elle attendu que les picotements se déclenchent ? A-t-elle vomi ? A-t-elle eu peur ? A-t-elle été soulagée ? A-t-elle compris que, à un moment, elle avait atteint le point de non-retour ?

Je me couche sur la couette qui gratte, je me dessine les ultimes instants de Meg. Brûlure, picotements, engourdissement. J'entends Bradford qui lui susurre des paroles de soutien. Quelque chose comme : *Nous sommes seuls quand nous naissons, seuls quand nous mourons.* Des taches noires apparaissent devant mes yeux. Je commence à éprouver l'événement. Pour de vrai.

Mais je ne veux pas ! Je me redresse brusquement. Je plaque une paume sur mon cœur, qui bat si fort qu'on dirait qu'il objecte à mes rêveries. *Cela n'est pas en train d'arriver*, je me sermonne. *Tu n'as pas avalé ce poison. Jamais tu n'en ingurgiterais.*

Les mains tremblantes, j'attrape mon téléphone. Ben décroche aussitôt.

— Ça va ? s'inquiète-t-il.

Sa question suffit à ce que, en effet, ça aille. Je ne suis pas dans un état génial, mais je me sens déjà mieux. Ma crise de panique s'éloigne. Je ne suis pas Meg qui prend le dernier bus tandis qu'une voix anonyme chuchote à mon oreille. Je suis vivante. Et je ne suis pas seule.

— Ça va ? répète Ben.

Son timbre est réel, concret. Si j'avais besoin qu'il soit auprès de moi, il le serait.

— Oui, je réponds.

Il garde le silence, je l'écoute respirer, rassurée par ce bruit, par sa présence. Nous restons ainsi pendant suffisamment de temps pour que je me calme et réussisse à m'endormir.

Chapitre 35

Quand je rejoins Ben à la voiture, il a acheté une boîte de donuts et deux cafés. Je plaisante :

— On est quoi ? Deux flics ?

— Ce à quoi nous jouons ressemble à de la surveillance, non ? répond-il en brandissant un bout de papier. J'ai déjà pris de l'essence et me suis renseigné sur le chemin jusque chez ton père.

Mon père. Chez mon père. Un concept qui m'est étranger. Comme conduire sur la Lune.

— Merci.

Il me tend son papier, j'hésite une seconde avant de m'en emparer. Harry m'a révélé que mon géniteur a changé six fois d'adresse en dix ans. J'en ai retiré un mauvais pressentiment. Que ce soit parce que j'ai redouté de faire chou blanc ou à cause de ce que je risquais de découvrir, je ne saurais le dire.

— Tu prends le volant ? me propose Ben.

Je secoue la tête. Je suis trop nerveuse. Ce qu'il a l'air de deviner, car il entreprend de jacasser comme une pie, en me racontant que bien qu'ayant grandi à

Bend, dans la Mecque du snowboard, il n'a jamais eu les moyens d'accéder aux pistes. Du coup lui et ses frères faisaient des trucs dingues, comme bricoler leurs skates et les utiliser sur les pentes enneigées.

— Mon frère aîné, Jamie, s'est cassé le coude, un jour.

— Aïe !

— Bend ressemble beaucoup à Truckee. Des bouseux hippies très portés sur les activités de plein air.

J'acquiesce.

— C'est ici qu'on quitte l'autoroute. À partir de maintenant, tu me guides.

Quelques minutes après, nous arrivons devant une maison en séquoia délabrée. Le jardin sur façade est jonché de saletés : une tondeuse à gazon rouillée, des tonnes de jouets en plastique, un canapé éventré.

— Tu es sûre que c'est là ?

— En tout cas, c'est la bonne adresse.

— Tu veux entrer ?

Je contemple les lieux dévastés. Ceci n'est pas la jolie maison d'un homme bien ayant une chouette famille, telle l'image idyllique que je me suis dessinée. Les informations de Harry ne sont peut-être plus d'actualité.

— On peut aussi attendre, suggère Ben. Que quelqu'un sorte.

J'opine. Contentons-nous de cela. Nous allons nous garer le long du trottoir d'en face. Ben boit son café et avale six beignets. J'observe la maisonnée qui s'éveille. Des lumières s'allument, les stores sont brutalement remontés. Finalement, au bout d'une heure environ, la porte s'entrebâille sur une fille. Plus jeune que moi, elle doit avoir dans les quatorze ans. Elle affiche une moue boudeuse tout en ramassant sans grand enthousiasme une partie du fatras qui encombre la pelouse. Peu après, la porte se rouvre, sur un petit garçon cette fois, en tee-shirt et couches culottes. La gamine le prend dans ses bras. Je suis un peu perdue. Est-elle la fille de mon père ? Ce bébé est-il à lui aussi ? Ou est-ce celui de l'adolescente ? À moins que nous nous soyons trompés de maison.

— Veux-tu que j'aille voir ? offre Ben.

— Sous quel prétexte ?

— Je ne sais pas. Je pourrais dire que je suis représentant ?

— Qui vendrait quoi ?

— Aucune importance. Le câble. Du maquillage. Dieu.

— Pour ce dernier, il faudrait que tu sois mieux habillé.

Tandis que nous réfléchissons, un grondement sourd se rapproche, de plus en plus fort, jusqu'à devenir une véritable pétarade. Aucun doute, il s'agit du moteur d'une Harley-Davidson. Quand la bécane passe juste à côté de nous, comme par un accord tacite, nous nous renfonçons sur nos sièges. L'engin s'arrête dans l'allée de la maison, rugit à plusieurs reprises, déclenchant les cris de frayeur du bébé. La fille le serre contre lui avant d'engueuler le motard. Ce dernier coupe les gaz et retire son casque. Comme il nous tourne le dos, je ne distingue pas son visage. En revanche, je lis de la haine sur celui de l'adolescente. À cet instant, la porte s'ouvre brutalement, et une femme aux cheveux noirs et courts surgit, une cigarette dans une main, un biberon dans l'autre. Écrasant son mégot, elle s'empare de l'enfant et commence à se disputer avec le motard.

J'assiste à la scène comme je regarderais un film. Les deux adultes continuent de se chamailler. À un moment, la femme tend à l'homme le petit, qui recommence à piailler. Du coup, elle le rend à la jeune fille. Puis elle prononce quelques mots et abat sa paume sur la selle de la machine. Le propriétaire se retourne, droit vers moi, mais il ne me voit pas. Moi, si, en revanche. Ses cheveux sont châtains. Comme les miens. Ses yeux en amande sont un mélange de gris et de noisette. Comme les miens. Sa peau est mate. Comme la mienne.

Mon portrait craché.

De nouveaux cris retentissent. L'adolescente pose le bébé par terre et s'en va en tapant des pieds et en pleurant. Le gamin fond en larmes bruyantes. La femme le ramasse et disparaît à l'intérieur. Elle claque la porte derrière elle. Peu après, il la suit en claquant celle du garage derrière lui.

Ben se tourne vers moi. Vers la maison. De nouveau vers moi. Il soupire.

— Quoi ? je demande.

— C'est bizarre.

— Qu'est-ce qui est bizarre ?

Coup d'œil sur la baraque, sur moi.

— Il te ressemble, mais il pourrait être mon père.

Je ne réponds rien.

— Ça va ? s'enquiert-il au bout d'un moment.

Je hoche la tête.

— Veux-tu entrer ? Ou revenir plus tard, quand la situation se sera calmée ?

Petite, j'aimais imaginer que mon père était représentant, pilote de ligne, dentiste. Bref, quelqu'un de différent de nous. En vérité, il ne l'est pas. Il est exactement comme je le craignais. Ça ne devrait pas me surprendre. Après tout, Tricia l'a toujours appelé le donneur de sperme. Ils ont dû avoir une aventure d'une nuit, dont je suis le fruit accidentel. Aucune raison de conte de fées ne justifie qu'il ne m'ait jamais rendu visite, n'ait jamais répondu à mes mails, ne m'ait jamais envoyé de carte d'anniversaire pourrie. Je suis prête à parier qu'il ignore le jour de mon anniversaire, d'ailleurs. En quel honneur en irait-il autrement ? Ça indiquerait que mon existence compte pour lui.

— Allons-y, je murmure.

— Tu es sûre ? Il est à portée de main.

— Allons-y.

Cette fois, j'ai aboyé. Sans un mot, Ben redémarre, fait demi-tour et s'éloigne.

Chapitre 36

De retour sur l'autoroute, on dirait qu'on a aspiré la Cody en moi. Ben ne cesse de m'adresser des regards soucieux que j'évite. Je l'évite. Roulant mon sweat-shirt en boule, je le coince contre la vitre et finis par m'endormir.

Quand, quelques heures plus tard, je me réveille, l'air frais des montagnes de la Sierra Nevada a été balayé par la chaleur sèche du désert. Pour un peu, j'oublierais le détour que je nous ai imposé. J'ai l'esprit embrumé par la touffeur ambiante, un goût métallique dans la bouche et ce que je soupçonne être des traces de bave séchée autour des lèvres. Ben me regarde. Quand bien même j'ai aimé l'observer dormir, je me sens nue qu'il ait fait de même avec moi.

— Où sommes-nous, bon sang ?

— Au milieu de nulle part. Littéralement. Nous avons traversé un bled appelé Hawthorne il y a un moment déjà, sinon, rien. Je n'ai même pas croisé de voitures. L'avantage, c'est qu'on peut foncer.

J'inspecte le compteur. Ben roule à cent quarante-cinq. Le ruban d'asphalte vide et droit s'étire devant nous, brouillé par des mirages, petites oasis d'eau qui n'existent pas vraiment. Dès que nous en atteignons une, elle disparaît, tandis qu'une nouvelle se dessine sur l'horizon.

— À ce rythme, nous devrions arriver à Vegas vers 17 heures et à Laughlin vers 19, décrète Ben.

— Oh !

— Ça va ?

— Tu arrêtes un peu de me poser cette question ? J'attrape la bouteille de Dr Pepper. Elle est tiède.

— Beurk.

— Si tu vois une épicerie, fais-moi signe.

Il a lâché ça d'un ton agacé mais lorsqu'il se tourne vers moi, ses traits s'adoucissent. Il ouvre la bouche pour ajouter quelque chose, se ravise cependant. Je soupire.

— Quoi encore ?

— Ce n'est pas toi. C'est lui.

Comme mon impression de vulnérabilité s'accroche, je le renvoie méchamment dans ses buts.

— C'est ce que tu dis aux nanas que tu largues ? Ce n'est pas toi, c'est moi ?

— Je pourrais en effet, si on en arrivait là un jour, riposte-t-il, glacial. Je parlais de ton père.

Je ne réponds pas. Je n'ai pas envie de parler de lui, de qui est cet homme à moto.

— C'est un enfoiré, insiste Ben. Il n'a foutre rien en commun avec toi.

Je persiste dans le silence.

— D'accord, je ne pige peut-être pas tout ce que tu es en train de traverser, mais ma mère me répétait ça constamment à propos de mon père. Que ce n'était pas moi. Que c'était lui. Je ne l'ai jamais crue. Je pensais qu'elle tentait juste de me remonter le moral. C'était forcément ma faute. Sauf que, après avoir vu ce trou-duc et toi, je commence à me dire que je me trompais.

— Comment ça ?

Il fixe la route avec beaucoup de concentration, alors qu'elle est plate et droite. Les mots se déversent comme un torrent :

— Que ton père soit un connard dès le départ – et, en l'occurrence, avant ça, même, puisqu'il a nié ton existence –, tu n'y es pour rien. C'est lui qui a merdé, pas toi. Ça ne me concerne sans doute pas, mais je tenais à te le dire. Depuis, genre, les derniers quatre cent soixante-deux kilomètres.

J'accepte de me tourner vers lui, à présent. De nouveau, je me demande comment nous pouvons éprouver autant de sentiments identiques alors que nous sommes si différents.

— Tu étais convaincu d'être responsable, pour ton père ? je souffle.

Il hoche la tête.

— Pourquoi ?

— J'étais un enfant sensible, soupire-t-il. Un pleur-nichard. Toujours fourré dans les jupes de sa mère. Il détestait ça. Il m'ordonnait de m'endurcir. J'ai essayé. J'ai vraiment tenté d'être plus viril. De lui ressembler. Rien n'y a fait. Il ne pouvait pas me sentir.

Il grimace. Ignorant que dire, je m'excuse. Durant une seconde, il lâche le volant, lève les mains au ciel, l'air de répondre : *Qu'est-ce que tu veux, hein ?* Je me retiens de lui caresser la joue. J'ai du mal à me représenter ce que c'est d'avoir un père dont la notion de virilité consiste en ce que Ben m'a raconté. Consacrer son existence à tenter de l'égaler tout en le fuyant en même temps. Je songe à Tricia. Jamais là, enfilant les relations de trois mois comme des perles. Refusant de me mettre en rapport avec mon père. Abdiquant devant son boulot de mère pour laisser les Garcia endosser le rôle de parents. Je le lui ai toujours reproché, mais je suis en train de me demander si je ne devrais pas plutôt l'en remercier.

Aux alentours de Vegas, la circulation devient plus dense. Soudain, nous nous retrouvons dans une très grande ville, c'est bizarre et déconcertant. Une heure plus tard, nous avons replongé dans le rien. Une heure encore après, nous sommes à Laughlin.

Un drôle d'hybride, ce Laughlin. Un bled paumé du désert au milieu duquel on a balancé une multitude de gratte-ciel hôteliers implantés sur les bords de la Colorado River. Nous traversons un centre déprimant, rejoignons un quartier plus modeste de motels faisant aussi office de casinos, nous arrêtons au Wagon Wheel Sleep 'n' Slots, qui propose des chambres à quarante-cinq dollars. Nous entrons, appuyons sur la sonnette de la réception, et une femme agréable aux cheveux tressés vient nous proposer ses services.

— Vous auriez deux chambres ? demande Ben.

L'argent file plus vite que je l'aurais cru. Je repense à la nuit dernière, à ma crise d'angoisse, à la voix rassurante de mon compagnon de voyage au téléphone. À ce qu'il m'a dit aujourd'hui dans la voiture.

— Une chambre à deux lits, je rectifie.

Je paie, nous allons chercher nos affaires dans le coffre. La voiture était propre et en ordre quand nous sommes partis. Maintenant, elle ressemble à une poubelle. Pendant que Ben porte nos sacs dans la chambre, j'essaie de nettoyer un peu l'habitacle. Lorsque je le rejoins à l'étage, il est en train de fouiller dans des tas de prospectus.

— Il y a des menus de restaus qui livrent. Tu as envie de sortir casser la croûte ? Tu préfères qu'on commande des pizzas ?

Me revient en mémoire notre après-midi tortillas-télévision sur le canapé.

— La pizza.

— Salami ? Saucisse ? Les deux ?

— L'une des deux, je réponds en riant.

Il s'empare d'un menu et de son portable. Une demi-heure plus tard, notre pizza, des pains à l'ail et des seaux de Pepsi et de Dr Pepper arrivent. Nous étalons ce festin sur l'un des lits avec une serviette de bain en guise de nappe et, assis en tailleur, nous pique-niquons.

— Ça fait du bien d'être sorti de la voiture, je dis.

— Oui. Des fois, après une tournée, mon cul vibre pendant plusieurs jours.

— Dommage que cet endroit n'offre pas des lits qui te massent tout seuls. On aurait pu entretenir la magie.

— Je n'en ai jamais vu.

— Moi non plus. D'ailleurs, je ne suis pas beaucoup allée à l'hôtel.

Plus exactement, je pourrais compter sur les doigts d'une main les nuits que j'y ai passées. Tricia n'aime pas les vacances. La plupart de mes voyages, je les ai faits en compagnie des Garcia. En général, nous campions ou allions dans leur famille.

— Tu n'as donc pas eu tant d'occasions que cela de partager une chambre avec un mec ? dit Ben, mine de rien, avec une attention exagérée pour la croûte de la pizza.

— Aucune.

— Tu n'as jamais partagé la même pièce qu'un gars ? insiste-t-il, avec une timidité étonnante.

— Je n'ai jamais *rien* partagé avec un garçon.

Il relève la tête, me scrute, l'air de chercher à comprendre ce que je viens de dire. Je soutiens son regard, laisse mon visage répondre à sa question informulée. Sous l'effet de la surprise, il écarquille les yeux, en ce moment d'un bleu pâle comme celui de la piscine, dehors.

— Rien ?

— Non.

— Même pas… une pizza ?

— Oh, j'ai déjà mangé de la pizza avec des garçons, mais je ne l'ai jamais partagée. C'est une grosse différence.

— Ah oui ?

J'opine.

— Bon, et après ? j'enchaîne.

— Quoi, après ? demande-t-il en me regardant.

— À quoi ça ressemble ?

Il plisse le front, confus, pas très certain que nous causions pizza. Il observe les restes.

— Ça ressemble à ceci : tu as mangé deux parts et moi, quatre, tu n'aimes pas autant le salami que moi.

J'acquiesce. J'ai entassé les tranches grasses sur le bord du carton.

— Et à ceci : cela se déroule dans une chambre de motel où nous sommes assis tous les deux.

Je hoche de nouveau la tête. Un instant me revient mon serment de ne jamais dormir sous le même toit que lui. C'est peut-être son cas aussi. Ce soir, il est clair que je romps cette promesse. Même si, pour être honnête, je l'ai fait il y a déjà un moment. Ce qui semble ne plus avoir aucune importance.

— Alors, reprend-il, qu'est-ce que ça signifie ?

Il s'efforce de prendre une voix décontractée, mais il a l'air fervent. Et très jeune.

— Que je partage avec toi, je réponds.

Je ne lui donnerai rien de plus. En vérité, ça me paraît déjà beaucoup. Puis je repense à une chose que j'ai dite hier, quand j'ai essayé de le convaincre de faire la sieste dans la voiture : On n'a qu'à établir de nouvelles règles. J'ai l'impression que c'est ce que nous sommes en train de faire.

Chapitre 37

Je me réveille le lendemain dans la chambre obscure que traversent les rayons du soleil s'infiltrant entre les lattes du store. La pendule indique 10 h 30. J'ai sombré vers minuit. Toujours endormi dans le lit jumeau, Ben est adorable. Il est lové autour d'un oreiller. Je m'étire durant une minute, autorise mes muscles à se dégourdir après un si long trajet en voiture.

— Bonjour ! marmonne Ben d'une voix lourde de sommeil. Quelle heure est-il ?

— 10 heures et demie.

— Prête pour la journée qui nous attend ?

La boîte à pizza est encore sur la commode. Il me semble fou qu'hier soir, dans une énième chambre que Bradford aurait pu recommander, et juste à côté de là où il vit, j'aie pu oublier le but de ma présence ici. À présent, il n'y a cependant plus de place pour l'oubli. Le déni. J'ai chaud et froid, la nausée me guette. Non, je ne suis pas prête. Je ne le serai jamais.

— Prête, je réponds.

Ben m'observe un bon moment. Continue de m'observer tandis qu'il arrache son patch à la nicotine pour le remplacer par un autre.

— Rien ne t'oblige à le faire, me dit-il. Ça ne me gênerait pas que nous repartions maintenant.

C'est gentil. L'une de mes missions a déjà avorté. Elle n'avait guère d'importance, cependant. Celle-là, si. Je secoue la tête.

— Comment procédons-nous ? concède-t-il en enfilant un tee-shirt.

— Je pensais monter la garde devant chez lui, comme on l'a…

Je m'interromps.

— Tu m'as bien dit qu'il bossait dans un casino, non ? rebondit Ben. Les horaires n'y sont pas fixes. Si ça se trouve, il est de l'équipe de nuit.

Je n'y avais pas songé.

— Auquel cas, la surveillance risque d'être longue.

Ben me dévisage une minute.

— Comment s'appelle l'endroit où il travaille ?

— Le Continental.

Nous sommes passés devant en voiture hier. Malgré la chaleur, j'ai frissonné à l'idée d'être aussi près de lui. À en juger par la forte impression qu'il a eue sur moi malgré la protection de l'écran d'ordinateur, des milliers de kilomètres nous séparant et de nos fausses identités, je n'ose penser à l'effet qu'il risque de produire *in vivo*. Ben feuillette l'annuaire.

— Qu'est-ce que tu fabriques ?

Sans répondre, il compose un numéro. On décroche sûrement, puisqu'il se met à parler avec un accent péquenaud.

— Mon pote Brad Smith bosse chez vous. Ça me gêne de l'embêter, mais je suis enfermé dehors, et c'est lui qui a mon second jeu de clés. Pourriez-vous me dire à quelle heure il commence aujourd'hui pour que je passe les chercher ?

Il patiente un instant, en profite pour me gratifier d'un clin d'œil.

— Oh ! D'accord. Bien sûr. Vous savez quand il termine ?

Nouvelle pause.

— OK ! Super. Je serai chez vous avant. Merci. Pas de souci. Vous aussi.

— Il finit à 17 heures, m'informe-t-il en reposant le combiné. Si on part du principe qu'il rentrera directement chez lui, il devrait y être trente minutes, une heure après.

— Tu ferais un bon flic, je remarque avec un sourire.

Entièrement focalisé sur l'affaire, il ne me le retourne pas, cependant.

— Je suggère qu'on se rende là-bas en avance, histoire de renifler un peu, puis tu lui serviras ta scène.

— Ma scène ?

— Tu en as bien préparé une, non ?

— Naturellement.

J'ai consacré pas mal de temps à réfléchir à ce que j'allais dire à Bradford. Comme si je répétais un rôle.

Du flan. De la même façon que j'ai prétendu être Meg, être suicidaire, je prétends être à la hauteur de cette tâche.

— Parfait, reprend Ben en consultant sa montre. Ça nous laisse six heures devant nous.

J'enregistre. Acquiesce.

— Que veux-tu faire, en attendant ?

Vomir. Fuir. Me cacher.

— Aucune idée. Qu'est-ce que ce patelin propose, à ton avis ?

— Nous pourrions traînasser au bord de la piscine, mais j'y ai plongé la main hier, et elle était chaude comme de la pisse.

— Dommage que j'aie laissé mon maillot à la maison.

— Nous pourrions aussi nous empiffrer dans un de ces buffets à volonté à un dollar quatre-vingt-dix.

— Je ne doute pas que tu t'empiffrerais, en effet.

— Et je tuerais pour un café glacé. Il fait, quoi… mille degrés ? Ces gens doivent mettre autre chose que de la bière au frais. Allons prendre un petit dej au casino. Après, on jouera.

— Je joue suffisamment comme ça avec ce voyage. Et je n'ai pas d'argent à dépenser. À dire vrai, rien ne me tente. Sinon regarder un film.

— Ça marche. Pour un petit dej et un film, je suis ton homme.

Il se tait, rosit.

— Enfin, pas dans ce sens-là… tu m'as compris.

— Relax, Ben. J'avais pigé.

Nous ne trouvons pas de café glacé. Un buffet, en revanche, si. Ben y engloutit un nombre faramineux d'œufs, bacon, saucisses et divers produits carnés, comme s'il voulait faire des réserves avant de regagner ses pénates végétaliennes. Moi, je réussis tout juste à avaler une moitié de gaufre. Ensuite, nous dénichons un cinéma, où nous voyons un film ridicule sur des robots qui se transforment en humains. C'est le troisième ou quatrième volet d'une saga que nous n'avons vue ni l'un ni l'autre, ce qui n'est pas grave du tout. Tout en gémissant devant l'indigence du scénario, nous piochons dans un grand pot de pop-corn. Plusieurs fois, assez longtemps, j'arrive à oublier ce qui m'attend. À la fin de la séance, il est presque 15 heures.

Nous rentrons au motel, où je me change. Je ne saisis pas très bien pourquoi, mais j'ai apporté mes plus jolis vêtements, qui se réduisent à un ensemble jupe et haut que j'ai porté pour l'un des nombreux services à la mémoire de Meg. Nous réglons une deuxième nuit au Wagon Wheel après avoir décidé, au lieu de repartir ce soir, de nous lever dès potron-minet et d'accomplir le trajet de retour d'une seule traite en nous relayant, genre tournée de rockeurs. À la réception, nous demandons le chemin pour nous rendre à l'appartement de Bradford qui, s'avère-t-il, n'est qu'à six cents mètres de là.

— Allons-y à pied, je décide.

Rien ne nous presse, et je suis trop nerveuse pour rester assise à attendre. Nous arpentons des artères poussiéreuses jusqu'à un immeuble en stuc que le soleil a délavé, entouré d'herbe sèche et doté d'une piscine au ciment fissuré. Malheureusement, il n'est que 17 heures.

— Éloignons-nous, je dis.

Nous rebroussons chemin en direction d'un magasin de spiritueux, à plusieurs rues de là.

— Quand veux-tu y aller ? demande Ben.

— Dans une demi-heure ?

— Et moi ? Je me pointe quand ?

— Je pense qu'il vaudrait mieux que je m'y rende seule.

— Je pense que non, réplique-t-il vertement, le nez froncé.

— Merci, mais j'estime nécessaire de discuter avec lui en personne.

— Tu attends quoi de moi ? Que je rôde dans les buissons ?

Perspective qui n'a pas l'air de lui plaire.

— Bradford est méfiant. S'il soupçonne que je suis accompagnée, il refusera de me parler. Tu n'auras qu'à m'attendre ici.

Ce n'est pas que je n'ai pas peur de Bradford. Au contraire. Mais je suis persuadée qu'il faut que j'agisse seule.

— Pardon ? se récrie Ben, incrédule.

— S'il te plaît.

— Alors, j'étais juste bon pour te trimballer en voiture, hein ?

— C'est faux, et tu le sais.

— Pourquoi suis-je ici, dans ce cas ?

Parce que j'ai besoin de toi. C'est la vérité. Qui m'effraie presque autant que ce qui va se passer dans quelques minutes. Je ne le dis pas à Ben, cependant.

— Parce que, toi aussi, tu es mêlé à cette histoire.

Il se redresse. Piqué au vif. Comme le serpent.

— Ça se résume à ça, donc ? lâche-t-il d'une voix aussi froide, dure et furieuse que le jour où il est venu récupérer son tee-shirt. Puisque c'est comme ça, je ne te laisserai pas voir ce mec. J'ai déjà la mort de Meg sur la conscience, pas question d'ajouter la tienne à la pile.

— Il ne va pas me tuer.

— Qu'en sais-tu ? Il a bien tué Meg. N'est-ce pas ce que tu me répètes depuis le début ?

— Oui, mais différemment. Il ne va pas me planter un couteau dans le ventre ni rien.

— Tu n'en as pas la moindre foutue idée ! D'où tiens-tu qu'il n'a pas un arsenal chez lui ? Que son intérêt pour le suicide n'est pas un à-côté ? Que des dizaines de cadavres ne sont pas enterrés dans son jardin ?

Je le tiens de ce que Bradford Smith utilise des armes différentes et vous laisse le soin de vous salir les mains.

— J'en suis sûre, c'est tout, je murmure.

— Tu n'es sûre de rien, Cody ! De rien !

Je le toise. L'air de répliquer : *Sûre de rien ? Qui es-tu pour dire ça ? Je connais ton histoire. Toi et moi barbotons dans le même marécage, Ben McCallister.* Je suis furieuse, ce qui est positif. La colère est mieux que la peur.

— Tu m'attends ici, je décrète.

— Des clous. Tu tiens vraiment à foncer droit dans un piège comme ton amie ? Je t'avertis : ne le fais pas. Ce type est dangereux, et te confronter à lui est une idée idiote. Je n'ai pas prévenu Meg, je te préviens, toi. C'est ce qui nous distingue, toi et moi. Au moins, moi, j'apprends de mes erreurs.

— Ce qui nous distingue remplirait un livre, Ben.

Ces paroles sonnent à la fois juste et faux. J'ignore pourquoi. Il m'adresse un ultime regard, lève les bras au ciel et s'en va.

Je n'ai pas le temps de méditer cette désertion. Je crois d'ailleurs que je m'y attendais depuis le départ. Maintenant, c'est entre Bradford et moi. Comme il se doit.

Il habite l'appartement J d'une résidence complètement banale. Porte blanche, persiennes occultant la fenêtre. Les voisins boivent une bière sur leur terrasse. Bien qu'ils ne me prêtent aucune attention, je suis rassurée par leur présence.

Je sonne.

L'homme qui m'ouvre a une barbe et des cheveux blancs. Il porte un short et une chemise à motifs hawaïens mille fois trop vaste qui pendouille sur sa bedaine. Il tient un grand verre emperlé, plein à ras bord. Les glaçons n'ont pas encore fondu. J'ignore si je suis soulagée ou déçue. Ça ne peut être lui, il ressemble au Père Noël.

— Je peux vous renseigner ?

Sa voix douce et mesurée m'est hélas familière. Du coup, je mets un moment à retrouver la mienne.

— Bradford Smith ?

Un éclair fugace – suspicion ou stratégie – traverse ses yeux.

— Qu'est-ce que vous lui voulez ?

Ce que je lui veux ? J'avais préparé une histoire afin de m'infiltrer chez lui. Malheureusement, elle s'est effacée de ma mémoire, et rien ne me vient, sinon la vérité. Il a toujours eu cet effet sur moi, cet homme.

— Lui parler.

— Excusez-moi, mais nous nous connaissons ?

Mon cœur bat à tout rompre, au point qu'il doit s'en apercevoir, malgré ma blouse.

— Je m'appelle Cody. Mais tu me connais mieux sous le nom de Pince-moi.

Il ne réagit pas.

— Faut-il que je te pince ?

— Non, répond-il calmement. J'avais entendu. Tu ne devrais pas être ici.

Il commence à refermer le battant. Une seule pensée me traverse l'esprit : *Je t'ai invité à m'aider à me tuer et tu me claques la porte au nez ?* Ma colère repart de plus belle. Tant mieux. Elle m'est plus que jamais indispensable. Je glisse mon pied dans l'encadrement.

— Et comment que je dois être ici ! Parce que je connais aussi une certaine Meg Garcia. Tu as sûrement été en contact avec elle lorsqu'elle se faisait appeler Luciole. As-tu appris que son vrai nom était Meg ? Que sa meilleure amie répondait à celui de Cody ? Qu'elle avait une mère ? Un père ? Un frère ?

Le discours que j'ai répété ces jours derniers resurgit peu à peu dans ma mémoire. Néanmoins, maintenant que j'ai abattu mes cartes, je m'attends à ce qu'il me jette vraiment dehors. Au lieu de quoi, il sort. L'un des voisins jette dans la poubelle métallique sa bouteille de bière vide, qui y explose avec fracas. Bradford toise le couple, lèvres pincées. Puis il me dévisage, pousse la porte et dit :

— Mieux vaudrait que tu entres.

Un instant, je songe à Ben, à l'arsenal dissimulé, aux corps ensevelis. J'obtempère quand même. L'intérieur est spartiate. Plus propre également que la majorité des foyers que je nettoie. Après que je les ai nettoyés. Mes jambes tremblent. Si je m'assieds, il risque de s'en apercevoir. Mais si je reste debout, j'ai toutes les chances de tomber. J'opte pour une solution médiane et m'appuie contre le canapé à carreaux.

— Tu la connaissais donc ? me lance-t-il.

Son expression est particulière. Pas du tout sinistre. Presque curieuse. Je comprends alors qu'il n'est pas au courant des détails crapoteux – et qu'il souhaite les apprendre. Je ne réponds pas. Je refuse de lui donner cette satisfaction.

— Ainsi, reprend-il, elle l'a fait.

Il le sait, ça va de soi. Ne serait-ce que parce que je suis ici. Malgré moi, je lui ai donné cette satisfaction.

— Oui. À cause de toi. Tu l'as tuée.

— Comment m'y serais-je pris ? Je ne l'ai pas rencontrée. J'ignorais son nom jusqu'à il y a deux minutes.

— Peut-être pas de tes propres mains, mais quand même... Comme un lâche. C'était quoi déjà, tes paroles ? « Le contraire du courage n'est pas la lâcheté mais le conformisme. »

J'ai dessiné les guillemets dans l'air avec mes doigts. Cette repartie-là, je l'avais également prévue.

— Je dirais plutôt que le contraire du courage, c'est toi ! j'enchaîne.

Je me fais l'effet d'être très brave moi-même quand je lâche ces mots. Nulle trace discernable de la froussarde que je suis en réalité et qui est à deux doigts de s'avachir par terre. Sa bouche se tord comme s'il venait d'avaler un aliment périmé. Il se ressaisit vite, cependant, et affiche un sourire qui n'est pas loin d'être bienveillant. Un son aigu et strident déchire mes tympans, des pans de mon corps qui ne transpirent pas normalement commencent à suer. Il me contemple en jouant avec ses doigts. Ses ongles sont propres et bien taillés, en meilleur état que les miens, abîmés à force de récurer des éviers et des toilettes.

— Tu as écrit avoir perdu la meilleure moitié de toi-même. C'était elle. Meg. Et là, tu tentes de te racheter, parce qu'elle t'a laissée en dehors de sa décision.

Il m'a devinée. Depuis le début. Même à l'époque où nous correspondions par site interposé. Aussitôt, mon plan fou, mon objectif de « le choper » me désertent. Mes ultimes forces aussi. Je m'écroule sur le divan.

— Va te faire foutre.

Puisque mon script ne me sert plus à rien, autant me défouler.

— Mais il se peut, poursuit Bradford de sa voix douce, que tu n'aies pas voulu dire qu'elle était ta meilleure moitié. Juste ta moitié. (Il sirote sa boisson.) Il arrive que nous soyons dans une telle symbiose avec certaines personnes que c'est comme si nous ne faisions qu'un. Un seul être, un seul esprit, un seul destin.

Il débite, en un raisonnement vicieux, des mots identiques à ceux qu'il posterait sur le forum. Je mets une minute à saisir ce qu'il entend par là.

— Serais-tu en train de suggérer que je souhaite mourir ? Comme elle ?

— Je me borne à répéter tes paroles.

— Non ! Tu mets les tiennes dans ma bouche. *Tu* veux que je meure. Comme tu voulais que Meg meure.

— Comment ça, je voulais « que Meg meure » ?

Cette fois, c'est lui qui dessine les guillemets dans l'air.

— Laisse-moi résumer : tu lui as expliqué comment obtenir le poison, comment rédiger sa lettre d'adieu, comment cacher les choses à sa famille, comment prévenir la police, comment effacer les mails incriminants. Tu lui as déconseillé de prendre des antidépresseurs. Tu l'as exhortée à cesser de vivre.

— Je n'ai rien dit de tel à quiconque.

— Si ! Tu le lui as dit ! Tu *me* l'as dit !

Il me fixe.

— Cody… C'est bien ton nom, n'est-ce pas ? Qu'est-ce que je t'ai dit *exactement*, Cody ?

Je me creuse la cervelle, traquant les détails de nos conversations. Malheureusement, je ne repêche que quelques citations stupides.

— Quelque chose me revient, enchaîne-t-il. La planète privée de soleil… c'était toi aussi ?

Oui. C'était bien moi. Il s'assoit, prend ses aises comme s'il s'apprêtait à visionner son film préféré.

— J'ai trouvé la formulation intéressante, poursuit-il. L'idée de vivre sur une Terre privée de soleil. Mais Cody, sais-tu vraiment ce qui se passerait si le soleil mourait ?

— Non.

J'ai couiné comme une souris.

— En une semaine, la température tomberait en dessous de zéro. En un an, elle atteindrait moins trente-huit. Les océans gèleraient. Inutile de préciser que c'en serait fini des récoltes. Le bétail succomberait. Les humains qui ne seraient pas tués par le froid mourraient de faim. Une planète sans soleil, la manière dont tu t'es résumée, n'est-ce pas, ? c'est déjà une planète morte. Même si tu continues à subir des évolutions.

Je suis une planète privée de soleil. J'ai déjà froid, je suis déjà morte. Voilà ce qu'il est en train de m'assener. Il suffirait que je l'officialise. Sauf que… Pourquoi la chaleur parcourt-elle mon corps, tel un circuit électrique ? C'est l'inverse du froid. L'opposé de la mort.

La porte cliquette, puis un ado – boutons, sac à dos et mine renfrognée – entre dans l'appartement. Ma première idée est que Bradford attire chez lui des innocents, que celui-ci est une énième victime d'All_BS. Heureusement, je suis là. Je vais pouvoir sauver celui-ci. Il n'est pas trop tard.

— Qu'est-ce que tu fiches ici ? l'apostrophe cependant le maître des lieux.

— M'man dit que tu t'es encore trompé de jour. Elle est furax.

Il m'aperçoit, m'adresse un regard inquisiteur.

— File dans ta chambre, grogne Smith. On en reparle dans quelques instants.

— Tu me prêtes ton ordi ?

Bradford hoche la tête, le môme s'éclipse dans un couloir. Tout en le suivant des yeux, je me rends soudain compte à quel point cet appartement est terne. La table en bois au milieu de laquelle se dresse une pile de serviettes en papier. Les posters banals aux murs. Une bibliothèque abîmée dans un coin, pleine non d'ouvrages philosophiques, mais de cette littérature de gare comme ceux que Tricia rapportait de sa salle de repos. Un gros volume se détache du lot, couché. Le *Bartett's Familiar Quotations*. C'est donc là-dedans qu'il pêche ses citations ? Des flopées de post-it dépassent de la tranche.

Je capte, au loin, le tintement de l'ordinateur qui s'allume. Du coup, mon cerveau s'allume aussi. Appartement locatif minable, boulot merdique, bled déprimant. La vie de Bradford ressemble beaucoup à la mienne. La différence, c'est que, le soir, il branche sa bécane et joue à Dieu.

— Il est temps que tu partes, me dit-il.

Son calme moqueur s'est évaporé. De nouveau, son timbre est glacial, comme il l'était au téléphone lorsqu'un collègue l'a dérangé. Depuis le couloir, son fils, qui doit avoir treize ou quatorze ans, demande s'il peut avoir un sandwich. D'une voix tendue, son père lui en promet un au fromage et à la dinde.

— Il est temps que tu partes, me répète-t-il.

— Comment réagirais-tu si quelqu'un lui faisait ce que tu as fait à Meg ?

L'espace d'une seconde, je vois la scène, son fils qui mange des sandwiches à la dinde, mort. Bradford endeuillé comme les Garcia le sont. Il se lève. J'en déduis que lui aussi vient de se représenter ce scénario. Il marche vers moi, la veine de son cou toute gonflée. Je devrais sûrement avoir peur.

Je n'ai pas peur.

Parce que je ne souhaite pas à son fils de mourir. Ça ne réglerait rien. Ça ne ferait qu'un jeune mort de plus. Bizarrement, c'est cette idée qui me donne la force de me mettre debout, de passer devant Smith et de m'en aller.

Je ne craque pas quand je franchis le seuil, ni quand je descends l'allée gravillonnée, ni quand je croise les voisins en train de boire et, à présent, d'écouter du rock à plein volume. Je tiens le coup jusqu'à ce que je me retourne pour contempler la résidence et que je visualise l'homme qui a poussé Meg au trépas – un monstre, un père – en train de préparer un sandwich à la dinde à son fils.

Le sanglot qui monte émane de mes entrailles, comme s'il y avait pourri pendant des jours et des semaines et des mois, voire depuis bien plus longtemps. Impossible, quand il explosera, d'être à proximité de Bradford. C'est là que réside le danger.

Je m'enfuis à toutes jambes.

Je cours dans la poussière des rues, soulève du sable qui s'infiltre dans mes narines. Quelqu'un vient à ma rencontre. D'abord, je crois à un mirage – il y en a eu tellement, ces derniers temps. Mais celui-ci ne disparaît pas alors que je m'en rapproche. Lorsqu'il constate que je pleure, il se rue même sur moi.

— Que s'est-il passé ? répète-t-il encore et encore, le regard lourd d'inquiétude et de crainte. T'a-t-il fait du mal ?

Même si j'étais en mesure de parler, je ne saurais que dire. Il était un monstre, il était un être humain. Il l'a tuée, elle s'est tuée. J'ai certes débusqué Bradford, mais je n'ai rien trouvé. Je tousse, étranglée par le sable, la poussière, les mucosités et le chagrin. Ben ne cesse de me demander s'il m'a attaquée, je voudrais le rassurer, non, rien de tel : il ne m'a pas agressée physiquement, ne m'a pas touchée. Ce que je finis par bredouiller est ceci :

— *Il a un fils.*

J'essaie d'expliquer. Un adolescent. Qu'il protège et qu'il aime, même s'il a tenté de me convaincre de me tuer, comme avec Meg. Les mots me manquent. Ben était présent à Truckee, hier, cependant. Voilà pourquoi, peut-être, il comprend. Ou alors, c'est que nous nous sommes toujours compris.

— Putain, Cody !

Il ouvre les bras, comme par réflexe, comme s'il avait l'habitude d'enlacer les gens. Et moi, comme par réflexe, je m'y love, comme si j'avais l'habitude d'être enlacée. Serrée contre lui, je pleure. Je pleure sur Meg, que j'ai définitivement perdue. Je pleure sur les Garcia, que j'ai perdus aussi, c'est envisageable. Je pleure sur le père que je n'ai jamais eu et sur la mère que j'ai eue. Je pleure sur Richard le roi du pétard et la famille dans laquelle il a grandi. Je pleure sur Ben et la famille dans laquelle il n'a pas grandi. Je pleure sur moi.

Chapitre 38

Une fois que je me suis calmée, nous empruntons l'un des sentiers qui longent la rivière. Le soir est tombé, mais les hors-bord et les jet-skis continuent de passer en vrombissant. Le majestueux Colorado ressemble moins à un fleuve puissant qu'à un aqueduc pavé. Comme tout dans ce voyage, il diffère de mes attentes. Je confie à Ben ma surprise.

— Suis-moi, me répond-il.

Il m'entraîne le long d'une rampe qui descend sur la berge.

— J'avais accroché une grande carte au-dessus de mon lit, poursuit-il en s'agenouillant. Le Colorado prend sa source dans les Rocheuses, traverse le Grand Canyon et va jusqu'au golfe du Mexique. Il n'a peut-être l'air de rien ici – il plonge la main dedans – mais quand tu attrapes un peu de ses eaux, c'est une partie des Rocheuses et du Grand Canyon que tu tiens.

Il se tourne vers moi, les paumes en coupe, j'ouvre les miennes, et il y déverse le contenu, puisé dans ce fleuve né en des lieux inconnus et porteur d'histoires non racontées.

— Tu sais toujours quoi dire pour me réconforter, je murmure.

Si doucement que mes mots se noient sous le vacarme des moteurs des jet-skis. Pourtant, il m'entend.

— Ce n'est pas ce que tu as pensé la première fois que tu m'as vu.

Il se trompe. J'ai eu beau le détester sur le moment, Ben McCallister a toujours eu en lui le don de me réconforter. C'est d'ailleurs peut-être pour ça qu'il me déplaisait. Parce que je ne suis pas censée me sentir mieux. Surtout pas en sa présence.

— Désolée.

Il s'empare de mon poignet, je serre le sien, mes doigts encore humides du fleuve mystérieux. Je ne le lâche pas, lui non plus, l'eau reste entre nous jusqu'à notre motel où, dans la chambre surchauffée, nous commençons à nous embrasser. Notre baiser est aussi avide que celui que nous avons échangé chez lui, il y a des mois, tout en étant différent. Comme si nous nous ouvrions à quelque chose. Nous ne cessons de nous embrasser. Ma blouse tombe sur le sol, puis le tee-shirt de Ben. La sensation de sa peau nue contre la mienne est stupéfiante. J'en désire plus. Je tire sur son jean. Je dégrafe ma jupe. Ben interrompt notre étreinte.

— Es-tu sûre ? souffle-t-il.

Ses yeux ont de nouveau changé pour adopter le bleu d'encre caractéristique des nouveau-nés.

Je suis sûre.

Emmêlés l'un dans l'autre, nous rallions le lit. Ben est tiède et dur contre moi, mais il se domine.

— Tu as une capote ?

Il se penche, sort un emballage en papier brillant de son portefeuille.

— Es-tu sûre ? redemande-t-il.

Je l'attire à moi.

Lorsque ça se passe, je me mets à pleurer.

— J'arrête ? chuchote-t-il.

Non. Je ne veux pas. Bien que ce soit douloureux – plus que ce que je redoutais –, mes larmes ne sont pas de souffrance. Elles sont d'émotion.

Chapitre 39

Ben s'endort en m'enlaçant dans la caverne de ses bras. La température avoisine les vingt-sept degrés – le climatiseur mal en point qui tousse sous la fenêtre n'est pas de taille à lutter contre la touffeur brutale du désert –, et Ben lui-même irradie la chaleur comme un poêle. J'ai chaud et suis moite de sueur, pourtant je ne bouge pas et finis par m'assoupir moi aussi. Je me réveille à plusieurs reprises ; chaque fois, je constate que les bras de Ben m'étreignent.

Quand je reprends conscience au matin, ils ne sont plus là. J'ai froid, même si la pièce, que la nuit n'a pas vraiment rafraîchie, commence à avoir des allures d'étuve. Aucune trace de Ben, mais ses affaires sont soigneusement empilées dans un coin.

Je me glisse sous la douche. Mon entrejambe est endolori, signe palpable de ma virginité perdue. Meg adorait que j'aie l'air dure et sexy, alors que j'étais encore vierge. Je ne le suis plus, désormais. Si elle était là, je pourrais lui raconter. L'eau devient glaciale, sans rapport avec sa température, cependant. C'est moi qui suis glacée, parce que je viens de me rendre compte qu'il me serait impossible de le lui raconter. Car c'est avec *lui* que je l'ai fait. Ben. Il a été son premier, son vrai premier, même si ça n'a duré qu'une nuit.

Je l'ai baisée. Tels ont été ces mots au sujet de son aventure avec Meg.

Moi, c'est autre chose, n'est-ce pas ? Nous avons d'abord été amis. Malheureusement, la suite de la conversation me revient en pleine face. *Nous étions amis. Avant que ça tourne en eau de boudin.* Puis : *Baiser une amie, c'est tout gâcher.* Non ! Lui et moi, c'est différent.

— Je suis différente, je lâche à voix haute.

Puis je manque de m'esclaffer. Combien de filles se sont-elles rassurées de la sorte à propos de Ben McCallister, le lendemain matin sous la douche ? Des images défilent rapidement devant mes yeux : mon père, la haine de l'adolescente à son encontre ; le regard furieux de Bradford lorsque j'ai mentionné son fils ; les diverses nuances de mépris que j'ai distinguées sur le visage de Ben et qui, sans doute aucun, reflétaient les miennes. Je repense à l'un de ses premiers mails. Celui qui a mis le feu aux poudres.

Fiche-moi la paix.

À travers les murs en carton, j'entends la porte s'ouvrir et se refermer. Je coupe l'eau, gênée d'avoir laissé mes vêtements à côté. Je m'enveloppe dans toutes les serviettes qui me tombent sous la main puis m'approche de mon sac sur la pointe des pieds.

— Salut, dit Ben.

Du coin de l'œil, je constate qu'il me tourne le dos.

— Salut, je réponds en fonçant sur mes habits.

Il va pour ajouter quelque chose, je l'interromps.

— Une minute. Laisse-moi d'abord m'habiller.

— OK.

De retour dans la salle de bains, j'enfile mon short et un tee-shirt, crasseux même pour mes standards habituels. Je m'essuie soigneusement tout en songeant à Ben qui, dans la chambre, a refusé de me regarder. Inspirant un bon coup, je pousse la porte. McCallister est occupé à mélanger une espèce de boisson. Sans lever la tête, il se met à parler à toute vitesse :

— J'étais parti en mission café glacé. Apparemment, ils ont bien des Starbucks, ici, mais tous à l'intérieur des casinos, et je ne me sentais pas de jouer de si bon matin. Malheureusement, je n'ai trouvé nulle part ailleurs de café frappé, pas même dans de vrais bars, alors j'en ai acheté du chaud, de la glace, et je crois que ça va le faire.

Son débit est un torrent, il jacasse comme s'il était déjà sous caféine – on dirait Alice. Et il continue à ne pas me regarder.

— J'ai pris au lait, poursuit-il. J'ignore pourquoi, mais j'aime que mon café frappé soit au lait. Ça me rappelle une glace, un truc comme ça.

Arrête, avec ton fichu café ! ai-je envie de crier. Je m'abstiens, cependant. Me borne à acquiescer.

— Tu souhaites qu'on aille dans l'un de ces buffets, histoire de recharger les batteries avant de partir ou tu préfères que nous mettions un peu de distance entre nous ?

Hier, il m'a dit que la différence entre lui et moi, c'est qu'il apprenait de ses erreurs. Il avait raison. Je suis une imbécile.

— Je vote pour la distance.

Un instant, ses yeux se posent sur moi avant de se défiler à nouveau. Comme si j'avais répondu correctement.

— D'accord. Tout ce que tu voudras.

C'est toi que je veux. Je veux me rallonger sur le lit et qu'il m'enlace. Je sais que ce n'est pas comme ça que ça fonctionne, cependant. Quand on couche avec le barman, c'en est fini des tournées gratuites. Tricia m'a enseigné cet axiome. Meg aussi. Ben lui-même également. Après tout, il ne m'a jamais caché sa nature.

— Il faut que je rentre chez moi, je reprends.

— C'était entendu, non ? répond-il en pliant un tee-shirt.

— Tout de suite.

Il fixe la couette du lit que nous n'avons pas utilisée cette nuit.

— La voiture a sûrement besoin d'essence et d'huile, lâche-t-il sur un ton plus dur, entaché d'un soupçon de feulement rauque. Puisque tu es si pressée, tu pourrais t'en occuper pendant que je rassemble mes affaires.

— Bonne idée. On se retrouve en bas ?

Le réconfort de ses bras paraît très loin, maintenant. Il me lance les clés. Quand je les rattrape au vol, il a l'air de vouloir dire quelque chose, y renonce. Ramassant mon sac, je sors. Je suis en train de faire le plein quand mon téléphone sonne. C'est lui. Quelle situation stupide ! Nous sommes tous les deux stupides.

— Cody ! Où es-tu, bon sang ? Tu étais censée être ici il y a deux jours !

Ce n'est pas lui, mais Tricia. Dès que j'entends sa voix, ma gorge se serre.

— Qu'est-ce qui t'arrive ? s'enquiert-elle.

— M'man ?

— Où es-tu, Cody ?

Je perçois son anxiété. Parce que je ne l'appelle jamais maman.

— Il faut que je rentre.

— Es-tu blessée ?

— Non. Mais je dois revenir. Immédiatement.

— Où es-tu ?

— Laughlin.

— Où c'est, ce trou ?

— Au Nevada. S'il te plaît… je veux rentrer à la maison.

Je suis à deux doigts de craquer.

— D'accord, chérie. Ne pleure pas. Je vais arranger ça. Laughlin, Nevada. Accroche-toi, Cody. Je gère. N'éteins pas ton portable.

Je n'ai pas la moindre idée de la manière dont elle compte s'y prendre. Elle est aussi fauchée que moi. Elle ne sait pas se servir d'un ordinateur, elle ne sait sûrement même pas où se trouve le Nevada, et encore moins Laughlin. N'empêche, je me sens déjà mieux.

Ben m'attend au rez-de-chaussée, devant notre chambre, quand je reviens. Je plante mes lunettes de soleil sur mes yeux rougis. J'ouvre le coffre, il charge les bagages, et je décrète :

— Je conduis.

Pas la meilleure idée au monde, peut-être. Je tremble. Mais ça m'obligera à me concentrer.

— OK, marmonne-t-il.

— Préviens-moi quand tu voudras t'arrêter pour avaler un morceau.

Il se borne à hocher la tête. Une fois en route, il s'occupe de mettre de la musique avec un soin suspect. Malheureusement, l'adaptateur pour l'iPod est définitivement mort, et la radio ne diffuse que de la soupe. Il finit par dégoter une chanson des Guns N' Roses, *Sweet Child o' Mine*. Cet air que j'aimais bien creuse aujourd'hui un cratère dans mon ventre. Comme tout le reste.

— Ma mère adorait cette chanson, dit-il.

J'opine.

— Écoute, Cody...

Les mots ont exactement la même résonance que celle des *Et, Cody ?* des Garcia. À cet instant, mon téléphone sonne. Lorsque je tente de l'attraper, il tombe par terre. Je fais une embardée.

— Attention ! braille Ben.

— Réponds ! je rétorque sur le même ton.

Il se baisse, récupère l'appareil.

— Allô ? bougonne-t-il. Ta mère, ajoute-t-il ensuite en se tournant vers moi.

Je m'empare du portable.

— Tricia ?

— Tu ne devrais pas téléphoner en conduisant, râle Ben.

Je lève les yeux au ciel. Me range sur le bas-côté.

— Où es-tu, là ?

Tricia ne me demande pas qui a décroché ni pourquoi je ne suis pas à Tacoma, contrairement à ce que je lui ai raconté avant de partir. Elle n'a jamais été du genre à s'intéresser aux détails.

— Aucune idée. À une trentaine de kilomètres de Laughlin. Sur l'autoroute 95.

— Tu as déjà dépassé Las Vegas ?

— Non, c'est encore à une soixantaine de bornes.

Elle pousse un soupir soulagé.

— Tant mieux. Il y a un vol direct entre Vegas et Spokane à 13 h 30. Tu penses pouvoir l'attraper ?

— Sans doute, oui.

Tricia dit quelque chose à quelqu'un, de multiples voix s'entrecroisent.

— OK, on te réserve une place. Si tu le rates, il y en a un deuxième, mais avec changement à Portland.

Je l'écoute discuter comme si elle tenait une agence de voyages, comme si ce genre de situation était habituelle, alors que nous n'avons jamais pris l'avion de notre vie.

— Rappelle-moi quand tu auras embarqué pour que je sache quand venir te chercher à l'aéroport. Apparemment, on n'a plus le droit de franchir les barrières, alors je te retrouve à la sortie des bagages.

— Entendu, j'acquiesce, comme si tout cela avait un sens.

— Je t'envoie les détails du vol par texto.

Je rends grâce à Raymond pour avoir formé Tricia à la technologie.

— Et on se voit tout à l'heure, enchaîne-t-elle. Je te ramène chez nous.

— Merci.

— Sinon, à quoi serviraient les mères, hein ?

Je raccroche et regarde Ben, qui me dévisage, l'air perdu, bien qu'il ait clairement capté les répliques de Tricia.

— Que se passe-t-il ?

— Je vais te quitter à Vegas. Je rentre par avion.

— Pourquoi ?

— Ce sera plus simple. Pour toi. Plus rapide. Pas de détour à faire.

Le trajet entre ici et Seattle passe en plein dans la région de l'État de Washington où je vis, et il va être obligé de conduire seul sur mille six cents kilomètres. Il n'empêche, je *lui* facilite les choses. Ça, c'est vrai.

L'heure suivante s'écoule dans le silence. Nous atteignons l'aéroport de Las Vegas vers midi. Je m'arrête dans la zone de dépose minute, où les voitures sont garées en double file. Partout, les gens klaxonnent et courent, tels des cow boys rassemblant un troupeau de vaches. Je récupère mon sac sous les yeux de Ben, qui s'est extrait de l'habitacle. Je me tourne vers lui. Il ne bouge pas, appuyé contre la Jetta. J'ai conscience que je devrais lui parler. Le remercier. Le libérer. Le libérer est peut-être la meilleure façon de le remercier, d'ailleurs. Il ne m'en laisse pas le temps, cependant.

— Veux-tu bien m'expliquer ce que tu fiches, Cody ?

Ça fait mal. Tout fait tellement mal. Mais ceci n'est pas bien. À tant d'égards. Alors, je lui ressers la réplique que je lui ai lancée il y a des mois, sans aucune désinvolture, cette fois. On ne peut guère souhaiter mieux à quiconque.

— Que la vie te soit douce.

Je claque la portière et m'éloigne.

chapitre 40

Comme convenu, Tricia me récupère à la sortie des bagages. Elle m'escorte jusqu'à la voiture comme un gardien de prison. J'ai à peine bouclé ma ceinture de sécurité qu'elle m'ordonne :

— Crache le morceau.

Bizarrement, ce n'est pas la partie de mon histoire concernant Ben qui m'inquiète le plus. Lui raconter que je me suis enfuie au Nevada avec un garçon auquel j'ai offert ma virginité ne me pose pas de problème. Certes, elle n'est pas ravie-ravie, mais une fois certaine que nos rapports ont été protégés et que nulle grossesse ne se dessine à l'horizon, elle n'insiste pas.

— Pourquoi Laughlin ? demande-t-elle ensuite.

C'est là qu'est le hic. Pas pour les raisons fallacieuses que j'ai déjà invoquées, à savoir qu'elle risque de répandre l'information dans tout Plouc-la-ville, même si le risque est réel. Tricia m'a accompagnée à la plupart des cérémonies organisées en la mémoire de Meg. Elle a revêtu sa robe noire de rigueur, a eu les yeux humides quand cela s'imposait. Pour autant, nous avons à peine évoqué la mort de Meg. Le choix de Meg. Mis à part cette unique conversation dans ma chambre il y a quelques semaines. Il était parfaitement évident qu'elle ne tenait pas à en discuter, ne voulait pas revenir là-dessus. Elle a beau discourir sur les différences qui nous séparaient, Meg et moi, je pense qu'elle essaie surtout de se rassurer.

Lorsque j'ai fini d'avouer à propos de Bradford et de Solution finale, elle ne paraît pas outre mesure surprise.

— Mme Banks m'avait dit que tu passais beaucoup de temps sur cet ordi.

— Mme Banks ? Quand lui as-tu parlé ?

— À ton avis, qui m'a aidée à acheter ton billet d'avion ?

Tricia s'est donc déjà répandue en bavardages sur mon compte. Je ne lui en veux pas, cependant. Pas du tout, même. J'ai l'impression d'avoir des alliées, soudain.

— À propos, comment c'était, ce premier vol ?

— Bien.

Je l'ai consacré à observer le paysage desséché, à imaginer la route que Ben et moi avons empruntée pour descendre dans le Sud, à essayer de ne pas songer à lui sur son trajet de retour en solitaire.

Quand nous bifurquons sur l'I-90, j'entreprends de lui raconter l'aventure Bradford. Comment je me suis offerte en appât. À quel point il a été convaincant, a su me bourrer le crâne. Je ne cache rien, sinon le détour par Truckee. Sans trop savoir pourquoi. Il se pourrait que je cherche à l'épargner, mais je ne crois pas que ce soit pour cela. J'ai perdu bien des choses, récemment, et un père... quoiqu'on ne puisse perdre ce qu'on n'a jamais eu. Je guette le moment où elle va exploser. Au lieu de quoi, quand je lui rapporte certains propos de Bradford, elle a l'air plutôt terrifiée.

— Et tu es quand même allée l'affronter ?

Je hoche la tête.

— Je n'en reviens pas... Je suis heureuse que tu n'aies rien.

— Moi aussi. Désolée. J'ai agi bêtement.

— Pas faux, ouais, confirme-t-elle avant de caresser ma joue. Courageusement, aussi.

Je réussis à sourire.

— Peut-être.

Elle accélère, déboîte sur la file de gauche.

— Tu vas devoir le dire aux Garcia, ajoute-t-elle quelques minutes plus tard. Tu en es consciente, non ?

La tristesse et la culpabilité me tombent dessus à la vitesse d'un soleil d'hiver qui se couche.

— Ce sera un crève-cœur, pour eux.

— Leur cœur est déjà brisé. En revanche, ça te permettra sûrement de réparer le tien. Contentons-nous de cela pour le moment.

Arrivées en ville, Tricia passe devant chez nous sans s'arrêter. J'ai beau me sentir épuisée comme jamais, je ne proteste pas.

— On m'attend au travail, m'annonce-t-elle en se garant devant chez les Garcia. À plus.

— Merci.

Je l'enlace par-dessus le levier de vitesses. Puis j'attrape mon dossier sur Meg, Bradford, Solution finale et me dirige vers la porte. C'est Scottie qui m'ouvre.

— Salut, Avorton, je lance à voix basse.

— Salut, Cody.

Il paraît gêné, content peut-être, que j'aie utilisé son surnom.

— C'est Cody ! crie-t-il en direction de l'intérieur.

Sue émerge de la cuisine en s'essuyant les mains sur son tablier.

— Cody ! Tu es enfin venue dîner ! Je te prépare une assiette ?

— On verra ça plus tard. Il faut que je vous parle.

Son visage se ferme.

— Entre. Joe ? Cody est là. Scottie ? Monte jouer dans ta chambre.

Le garçon m'adresse un drôle de regard. Je hausse les épaules. Joe et Sue m'entraînent dans la salle à manger ombreuse où se dresse la jolie table en bois où nous avions l'habitude de prendre nos repas en famille. Elle est à présent couverte de papiers et autres signes indiquant qu'elle ne sert plus.

— Qu'y a-t-il, Cody ? s'enquiert Joe.

— Je dois vous apprendre des choses. À propos de Meg. De sa mort.

Tous deux opinent et se prennent par la main.

— Elle s'est tuée. Je ne prétends pas le contraire. Mais je tiens à ce que vous sachiez qu'elle était impliquée dans un groupe… Ils s'appellent « de soutien », alors que, en réalité, ils encouragent le suicide. À mon avis, c'est pour cela qu'elle est passée à l'acte.

Je contemple leurs traits, à l'affût de l'horreur. Mais ils sont juste calmes, attentifs et patients. Alors, je comprends. Mes informations ne sont pas un scoop.

— Vous étiez au courant ?

— Oui, murmure Sue. C'était dans le rapport de police.

— Ah bon ?

— Les inspecteurs y expliquaient comment elle s'était procuré le poison. Apparemment, c'est souvent le cas, avec ces forums de discussion.

— Solution finale, crache Joe. L'expression nazie pour l'holocauste. Meg connaissait ça. Je ne comprends pas qu'elle ait marché avec une bande de crétins osant se nommer ainsi.

— Joe, le calme son épouse en posant une paume sur son bras.

— Les flics ont découvert le dossier protégé ? Ils savent pour Bradford ?

Je suis paumée. Bradford semblait ne pas être au courant de la mort de Meg.

— Quel dossier ? s'étonnent à leur tour Sue et Joe.

— Dans l'ordinateur de Meg. La corbeille.

— Pour ça, nous ne savons pas, répond Sue. Ils nous ont juste signalé que Meg avait participé à des échanges sur Internet, qu'ils en avaient la preuve.

— Qui est Bradford ? demande Joe.

— Bradford Smith.

Ils me contemplent sans réagir.

— C'est lui. Le gars du site. Une minute. Je croyais que la police vous en avait parlé ?

— Les enquêteurs nous ont seulement dit qu'elle avait été en contact avec ces malades qui se jettent sur les gens vulnérables comme Meg. Qui les incitent à se tuer.

— Mais ils n'ont rien précisé sur Bradford ? Bradford Smith ? Qui intervient sur le forum sous le pseudonyme d'All_BS ?

Ils secouent la tête.

— C'est lui qui l'a aidée, je poursuis. Lui qu'il l'a poussée à le faire. Un peu comme un mentor mortel. Il l'a enjôlée, l'a conseillée.

— Oui, acquiesce Sue. C'est comme ça que fonctionnent ces groupes.

— Pas celui-ci. Il n'y a eu que lui. Cet homme.

— Comment l'as-tu découvert ? me lance Joe.

Je repars de zéro, détaille comment le dossier protégé m'a amenée vers Solution finale, qui m'a conduite à Luciole1021, qui m'a jetée dans les bras d'All_BS.

— J'ai passé des semaines à tenter de le débusquer. Ça m'a pris du temps, mais j'y suis arrivée. J'ai dû parvenir à le convaincre que j'étais comme Meg, je l'ai piégé pour qu'il me téléphone. Il a été prudent, a utilisé Skype sur une tablette. Mais j'ai tracé son appel, j'ai appris où il travaillait et vivait.

— Toute seule ? s'étonne Sue.

— Non. Harry Kang, un ancien colocataire de Meg, s'est chargé de la partie technique. Une autre personne m'a accompagnée à Laughlin pour rencontrer Bradford…

— Parce que tu es allée voir ce type ? m'interrompt Joe.

— C'est ce que je m'efforce de vous expliquer. Je viens juste de rentrer.

— Cody ! C'était très dangereux.

Sue me gronde comme elle nous grondait, avec Meg, quand nous nous couchions trop tard ou conduisions trop vite. Avec Joe, ils me couvent d'un regard parental inquiet. Bien que cela m'ait manqué, je n'ai pas envie qu'ils me dévisagent de cette manière. Je ne veux pas être leur enfant. Je veux être leur ange vengeur !

— Mais vous ne voyez donc pas ? Ce gars est coupable ! Sans lui, elle ne serait pas morte !

— Parce qu'il lui a dit de se tuer ? L'a-t-il activement aidée ?

— Oui ! Et moi aussi ! Regardez !

J'ouvre mon dossier pour leur montrer les messages, les échanges. Toutefois, au fur et à mesure que je lis ce qu'il nous a envoyé, à Meg et moi, je me rends compte que ça se résume à un tas de citations, de liens. Tout s'est déroulé à distance. Il n'a pas dit à Meg de recourir au poison. Il ne l'a pas acheté pour elle. Il ne m'a pas donné de conseils spécifiques au-delà de solutions froides et détachées. Jamais il ne m'a écrit de façon nette et tranchée : *Tu devrais te suicider.*

Je l'entends de nouveau affirmer : *Je n'ai rien dit de tel à quiconque.* Il s'est presque moqué de moi quand il m'a demandé de lui citer les conseils qu'il était censé avoir donnés. Je me rappelle avoir vraiment souhaité qu'il me questionne sur la méthode que j'avais choisie, ce dont il s'est abstenu, malheureusement. Mais ça ne change rien ! Il reste responsable, non ?

— Il est coupable, j'insiste. Sans lui, Meg ne se serait pas tuée. Il est à l'origine de son suicide.

Joe et Sue échangent un coup d'œil avant de me fixer. Puis Sue me dit exactement ce que m'a dit Tree la dernière fois au téléphone, et que je n'ai pas su entendre. Pendant combien de semaines me suis-je ainsi bouché les oreilles ?

— Meg souffrait de dépression, Cody. Elle a connu sa première alerte en seconde. Une autre l'an dernier.

En seconde. L'année passée au lit.

— La mononucléose ?

Sue hoche puis secoue la tête.

— Ce n'était pas une mononucléose.

— Pourquoi ? Pourquoi ne me l'a-t-elle pas dit, à l'époque ?

— Je me bats contre ça depuis tant d'années, répond Sue en tapotant sa poitrine. Pas juste la dépression, mais la stigmatisation qu'elle implique dans une petite ville. Je ne voulais pas qu'elle ait à porter ce fardeau à quinze ans.

Elle s'interrompt, reprend :

— Pour être honnête, je ne voulais pas qu'elle ait à subir une maladie que je lui avais transmise. C'est pour cela que nous avons gardé le silence.

Joe baisse les yeux sur la table.

— Nous pensions agir pour le mieux.

— Naturellement, nous l'avons mise sous anti-dépresseurs, enchaîne Sue. Et son état s'est amélioré. Tellement qu'elle a souhaité arrêter les médicaments après le lycée. Nous avons tenté de l'en dissuader. Je connais la dépression, elle ne disparaît pas comme par magie.

Les humeurs de Sue. Les odeurs dans la maison. *Dépression. C'est donc à ça que ça ressemble ?*

— Nous avons deviné que la situation s'était dégradée dès son arrivée à Cascades, dit Joe. Elle dormait tout le temps, séchait les cours.

— Nous avons tenté de lui trouver de l'aide, de la remettre sur les rails. Nous envisagions de la retirer de la fac pendant un semestre. Nous en avons discuté, nous sommes disputés, plutôt, pendant toutes les vacances de Noël.

— C'est pour ça que nous ne t'avons pas invitée à venir, précise Joe.

Les vacances de Noël. *Mes parents me rendent dingue !*

— Nous avions décidé de forcer les choses si elle refusait de faire le premier pas. De la ramener ici, quitte à ce qu'elle perde sa bourse d'études. Puis, vers le nouvel an, elle a semblé se rétablir un peu. Ce qui n'était pas le cas. Elle était juste en train de préparer sa fuite.

— Je l'ignorais.

— Comme nous tous, soupire Sue, qui fond en larmes.

Elle était ma meilleure amie. Si j'avais été là, à Noël, durant l'année scolaire, j'aurais su. Pour la dépression.

À quel point elle allait mal. Ça aurait pu être différent. Et elle aurait été encore avec nous.

— *Je l'ignorais*, je répète.

Mais, cette fois, ça ressemble à un cri perçant. Mon chagrin explose comme un anévrisme qui répandrait du sang partout. Joe et Sue me regardent saigner à blanc et, au bout du compte, c'est comme s'ils comprenaient enfin. Joe attrape ma main, Sue prononce les paroles que j'attends depuis tant de temps :

— Oh, ma chérie, non, non, non. Pas toi. Ce n'est pas *ta* faute.

— Je devais déménager à Seattle, je parviens à bredouiller entre deux sanglots. Nous allions mener une super existence ensemble…

Comment poursuivre ? Je n'avais pas les moyens. J'ai pris peur. J'étais coincée. Elle est partie, je suis restée.

— Non ! assène Joe. Ce n'est pas comme ça. Tu étais tout, à ses yeux. Tu étais son point d'ancrage, ici.

— Si ! Vous ne vous en rendez donc pas compte ? J'étais furieuse, quand elle s'est éloignée. Contre moi, surtout, mais j'ai projeté ma colère sur elle. Je n'ai pas été là pour elle. Sinon, c'est vers moi qu'elle se serait tournée. Pas vers lui.

— Non, Cody, insiste Sue. Elle ne l'aurait pas fait.

Son ton est définitif. J'en suis accablée. *Elle ne l'aurait pas fait.* Meg aurait gardé le secret, comme toujours. Joe se racle la gorge, afin de retenir ses propres larmes.

— Je comprends que tu te sois lancée à la recherche de cet homme, Cody. Parce que si ce Bradford était coupable, si c'était un meurtre, nous aurions peut-être réussi à souffrir d'une manière claire et simple.

Je relève la tête, le contemple. Mon Dieu ! Comme elle me manque ! Et comme je lui en veux aussi ! Si je ne parviens pas à lui pardonner, comment arrive-rais-je à *me* pardonner ?

— Si Meg n'avait pas été malade, renchérit Sue en fixant son époux d'un air implorant, elle n'aurait pas été dans la ligne de mire de ce type. Il n'aurait eu aucun pouvoir sur elle. Prends Cody, par exemple. Elle est allée sur ce site, elle a parlé avec lui. Nous avons lu leurs échanges.

Elle me regarde.

— Pourtant, tu es toujours là, Cody.

Ils ne pigent pas. La façon qu'a Bradford de s'in-sinuer dans votre cerveau, de biaiser, de mettre en avant vos points faibles. Il aurait parfaitement pu me réduire à néant moi aussi. Je balaie les alentours des yeux. Je suis assise à la table de la salle à manger où j'ai si souvent déjeuné et dîné. Meg n'est plus. Ces der-niers mois ont été un enfer. Mais Sue a raison. Je suis vivante. La chemise est ouverte, les pages sont épar-pillées. Tout ce que j'ai enduré pour le constituer, l'in-connu dans lequel je me suis jetée avec Bradford… J'y ai lu sa force. Et si, en réalité, j'avais seulement testé la mienne ?

Je suis vivante.

Je rassemble les feuilles, glisse la chemise vers Joe.

— Je pense qu'il vaut mieux que j'arrête avec ça, je déclare. Agissez comme vous le jugerez bon.

— Nous le porterons à la police demain à la première heure, acquiesce-t-il.

Il y a un bref silence.

— Et Cody… ? reprend Sue, mais cette fois, je n'ai pas peur. Merci.

Elle et Joe se lèvent et me serrent fort dans leurs bras. Nous pleurons tous les trois. Longtemps.

— Tu es devenue un sac d'os, Cody, me dit ensuite Sue. Laisse-moi te nourrir. S'il te plaît.

Je me redresse sur ma chaise. Bien que je n'aie pas faim, je cède. Sue file à la cuisine. Joe reste avec moi.

— Tu aurais dû nous avertir, dit-il en tapotant la chemise.

— Vous auriez dû m'avertir vous aussi.

Il opine.

— Et Scottie. Il faut que vous le lui révéliez. Il sait déjà. Mais pas les détails. Il soupçonne que quelqu'un a aidé Meg. C'est lui qui m'a mise sur cette piste.

Joe se caresse le menton avec stupéfaction.

— Rien n'échappe aux enfants. Quels que soient nos efforts pour les protéger.

Il soupire, enchaîne :

— Nous avons commencé à fréquenter des familles qui ont subi la même perte que nous. Histoire de formuler les choses. C'est la seule méthode qui a l'air efficace.

Il prend de nouveau ma main, la broie dans la sienne, au point que son alliance laisse une empreinte sur ma peau.

— Je parlerai à Scottie, me promet-il.

Sue réapparaît et dépose une énorme assiettée de ragoût devant moi. J'en avale une bouchée.

— Fait maison, précise-t-elle.

Puis elle sourit. Le sourire le plus mince que j'aie jamais vu, mais un sourire quand même. Je mange une deuxième bouchée… découvre que je suis affamée, finalement.

chapitre 41

Ce soir-là, je m'effondre à 21 heures, tout habillée. Je me réveille à 5 le lendemain. Je découvre Tricia qui dort, assise à la table de la cuisine. J'effleure son poignet.

— Tu viens juste de rentrer ?

Elle hausse les épaules, les yeux bouffis de sommeil, confuse.

— Tu attendais que je me lève ?

— En quelque sorte, admet-elle avec un nouveau haussement d'épaules.

— Monte te coucher. Ça va.

— Vraiment ? insiste-elle en bâillant. Comment ça s'est passé, avec Joe et Sue ?

— Bien. Je te raconterai plus tard. Tu tiens à peine debout.

— Pas faux… dans tous les sens du terme, plaisante-t-elle avant de redevenir sérieuse. Tu es sûre que ça va ?

— Oui.

J'ai beaucoup répété que j'allais bien. À présent, c'est vrai.

— Je te sors pour le petit dej dans quelques heures, d'accord ?

— Ça roule.

Tricia rejoint son lit d'un pas lourd. Je défais mon sac, empile mes vêtements sales. Un saut au Lavomatic s'impose. À moins que je demande à Mme Chandler la permission d'utiliser son lave-linge la prochaine fois que j'irai chez elle. Les gens se sont montrés plutôt généreux quand j'ai fait appel à eux. Je lance la cafetière, sors sur le seuil en attendant que le breuvage passe.

L'aube se lève. Les collines sont rosies par les premières lueurs du matin, bien qu'une nappe de brume s'attarde au niveau du sol. À cette heure, la rue est déserte. À l'exception du pick-up du livreur de journaux. Au loin, je perçois le ronronnement d'une autre voiture. Le bruit du moteur m'est familier, bien qu'il ne s'agisse pas du véhicule des Garcia. La Camry décatie de Tricia est garée dans l'allée. Le véhicule apparaît à quelques centaines de mètres, encore flou. Je sursaute néanmoins. Non. Impossible. Il bifurque, emprunte un carrefour, lentement, comme perdu. Je descends les marches, avance sur la chaussée. La voiture s'arrête brusquement, moteur au ralenti, puis elle recule, tourne dans ma rue, la remonte et s'arrête juste à côté de moi.

Il a une mine épouvantable. Une barbe d'un jour, et qui sait combien de nuits d'insomnie qui colorent ses yeux en mauve. C'est peut-être à cause du voyage, et je ne m'en suis pas aperçue parce que ça s'est produit graduellement. Quoi qu'il en soit, le Ben qui descend de la Jetta n'a quasiment rien en commun avec le joli garçon arrogant qui jouait sur scène il y a plusieurs mois.

— Qu'est-ce que tu fiches ici ? je lui lance.

— À ton avis ? répond-il d'une voix si triste qu'elle me tue. Que la vie me soit douce ?

— Comment es-tu arrivé jusqu'ici ? Ça t'a pris… quoi ? Vingt-quatre heures de conduite ?

Je calcule le temps écoulé depuis que je l'ai abandonné, à Las Vegas. Un peu plus de dix-sept heures.

— Uniquement si tu t'arrêtes, riposte-t-il.

Je comprends mieux son allure. À ce rythme, on vieillit d'un an en une journée.

— Comment as-tu su où j'habitais ?

Il se frotte les yeux.

— Meg me l'avait dit. C'est une ville plutôt petite… J'ai toujours su où te trouver, Cody.

— Oh.

Il paraît éreinté. J'ai envie de l'inviter à entrer, de le coucher dans mon lit, de remonter les draps et de caresser ses paupières.

— Pourquoi t'es-tu sauvée comme ça ?

Que lui dire ? J'étais heureuse. Effrayée. Dépassée. Je plaque ma paume sur mon cœur, comme si ça expliquait tout. Le silence s'installe, que je finis par rompre.

— J'ai vu les parents de Meg. Je leur ai parlé de Bradford. Apparemment, la police leur avait déjà expliqué que Meg fréquentait Solution finale.

Les prunelles lourdes de sommeil de Ben s'écarquillent sous l'effet de la surprise.

— Ils m'ont révélé que Meg était dépressive. Elle avait déjà connu un épisode en seconde, ce que je n'avais pas su voir, alors que j'étais à côté d'elle, moi, sa meilleure amie. Elle en a eu un autre à son arrivée à Tacoma. Avant de te rencontrer.

Je le dévisage.

— Il faut donc en conclure que son suicide n'est pas ta faute. Ni la mienne.

J'ai essayé de prononcer cette phrase avec nonchalance. Raté. Ma voix a dérapé dans les aigus.

— Je n'ai jamais pensé que c'était ta faute, murmure-t-il. Et j'étais parvenu à la conclusion que ce n'était pas la mienne non plus.

— Mais tu disais avoir sa mort sur la conscience !

— C'est le cas. Ça le sera toujours. Pour autant, je ne crois pas avoir été suffisamment important pour la provoquer. Et puis…

Il s'interrompt.

— Quoi ?

— Il me semble que si je m'étais considéré comme coupable, je ne t'aurais pas ouvert la porte de mon existence.

Mes yeux se remplissent de larmes.

— Je t'aime, Cody. Je me rends bien compte que c'est compliqué et foutrement tordu. La mort de Meg est une catastrophe, un gâchis sans nom. Il n'empêche, je ne veux pas te perdre à cause des circonstances merdiques dans lesquelles je t'ai rencontrée.

Maintenant, je pleure à chaudes larmes.

— Tu n'es qu'un enfoiré, Ben McCallister. Chaque fois que je te croise, je chiale.

J'avance d'un pas vers lui, cependant.

— J'ai pleurniché un peu cette nuit moi aussi, dit-il, en avançant d'un pas à son tour.

— Tu m'étonnes. Mille six cents kilomètres sans iPod, c'est longuet.

— T'as raison, c'est la musique qui m'a manqué, réplique-t-il avec un nouveau pas. Je n'aurais pas dû te laisser partir. J'aurais dû protester, hier. Mais c'était intense pour moi également, et tu me flanquais la frousse. Tu me files souvent les jetons, Cody.

— Parce que tu es un connard de la ville. Les connards de la ville ont toujours peur.

— On m'a déjà dit ça, oui.

— Eh bien… toi aussi, tu me fais peur.

J'écarte les bras. Et, comme ça se produit toujours dès lors que je m'autorise à être moi-même avec Ben McCallister, ce que je ressens est à l'opposé de la peur. Nous restons enlacés dans le matin qui se lève. Il écarte une boucle de cheveux de devant mes yeux, embrasse ma tempe.

— Je suis assez fragile, en ce moment, je lui dis en guise d'avertissement. Mon univers entier a tendance à s'effondrer.

Il hoche la tête. Ce constat est vrai pour lui également.

— Ça risque d'être compliqué. Compliqué et foutrement tordu, pour te citer.

— Je sais, répond-il. On va devoir tenir en selle, Cavalière Cody.

— Tenir en selle, je répète.

Je pose ma tête sur son épaule, sens son corps tanguer.

— Veux-tu entrer ? Dormir un peu ?

— Non, plus tard peut-être.

Le soleil a surgi, chassant la brume. J'attrape la main de Ben.

— Viens.

— Où va-t-on ?

— Se promener. Je tiens à te montrer les parages. Il y a une fusée super dans le parc, d'où le point de vue est géant.

Je noue mes doigts aux siens, nous nous éloignons. Vers mon passé. En direction de mon futur.

Épilogue

Nous disposons des restes de Meg l'année suivant sa mort.

Nous organisons une dernière commémoration. Sans bougies, sans Notre Père, sans même un représentant de l'Église. Mais Meg sera présente. Joe et Sue ont opté pour une crémation, et nous allons répandre ses cendres dans les divers endroits qu'elle aimait. Ils ont passé un accord avec leur paroisse catholique : elle aura droit à une tombe dans le cimetière, à condition que sa dépouille n'y soit pas.

Aujourd'hui, nous allons disperser des souvenirs d'elle dans les collines de Pioneer Park. Ses amis d'ici seront là, de même que ceux de Seattle et, naturellement, de Cascades.

Alice est passée me chercher à mon foyer, et nous sommes venues ensemble hier soir. Tricia m'a accueillie comme si j'étais partie depuis deux ans et non deux mois. Depuis que j'ai intégré la fac, elle m'envoie des textos presque chaque jour. (Raymond a disparu de la circulation, mais sa formation aux technologies lui a survécu.) Elle a l'air heureuse que j'aie franchi le cap, que j'aie postulé (supplié) pour être admise en cours d'année à l'université d'État de Washington.

— Je n'aurai pas droit à une bourse, l'ai-je prévenue. Pas même à une subvention partielle. Je vais devoir emprunter.

— On s'y collera toutes les deux, a-t-elle répondu. Il y a pire que les dettes, dans la vie.

Alice s'inquiète de ce qu'elle doit mettre, regrette de n'avoir rien pris de noir. Mes tentatives pour lui expliquer que ce n'est pas notre genre n'aident en rien. Nous avons tous assez porté le deuil. Même Tricia a acheté une nouvelle tenue en solde. Turquoise.

— Et toi, comment comptes-tu t'habiller ? me demande Alice.

— En jean.

— Tu ne peux pas !

— Pourquoi ?

Alice reste coite.

— Quand les autres sont-ils attendus ? élude-t-elle.

— Richard est arrivé hier soir. Ben est parti tôt ce matin. Il nous rejoindra directement au parc. Harry est avec lui.

— Je sais, je lui ai parlé la semaine dernière.

Harry m'a appelée pour m'annoncer que Solution finale avait fermé. C'est le seul résultat concret que j'ai obtenu. Les policiers ont interrogé Bradford Smith, ils ont même saisi son ordinateur. J'ai pris plaisir à imaginer son indignation, puis sa crainte, quand ils ont frappé à sa porte et sont repartis avec ses fichiers informatiques. Il a forcément deviné que j'étais à l'origine de cette visite, moi la planète privée de soleil qui a finalement montré qu'il lui restait un peu de lumière, en dépit de tout. Aucune charge n'a été retenue contre lui, cependant. Il a été prudent, n'a enfreint nulle loi, a emprunté les paroles d'autrui, a renvoyé à des liens menant à des sites anonymes. Rien d'assez tangible pour se retourner contre lui.

Avant la fermeture du site, je m'y suis connectée de temps en temps, afin de vérifier l'activité d'All_BS. Je n'ai rien trouvé. Il se peut qu'il ait changé de pseudonyme, qu'il soit actif sur un autre forum, mais je n'y crois pas trop. Je pense l'avoir réduit au silence. Ne serait-ce que momentanément.

Joe et Sue ont rencontré des avocats qui ont estimé que j'avais rassemblé assez de preuves pour un procès au civil. Ils y réfléchissent, bien que Sue affirme qu'elle n'a pas le cran de se battre. Ça ne ramènera pas Meg et, là, maintenant, soutient-elle, c'est de pardonner que nous avons besoin, pas de nous venger. J'ai pas mal repensé au sermon de Jerry, dernièrement. Je suis d'accord avec Sue. Même si Bradford Smith n'est pas celui qu'il nous faut absoudre.

Tricia approche de ma porte, toute pomponnée, vêtue de la robe neuve dans laquelle elle va se geler, perchée sur des talons qu'elle va salir dans les chemins boueux du parc. Elle jette un coup d'œil à Alice, me regarde, contemple la photo de Meg, celle du rodéo que j'ai laissée au mur.

— Allons-y, décrète-t-elle.

Nous grimpons les sentiers de Pioneer Park jusqu'à la petite clairière au milieu des bois. Au loin, j'entends Samson qui aboie. Au détour de l'orée, je découvre Joe et Sue qui bavardent avec des membres du groupe de soutien à ceux qui ont perdu un être cher par suicide. Les musiciens de Seattle accordent leurs instruments. Scottie joue à la balle avec Richard et Harry. Sharon Devonne et d'autres anciens élèves du lycée discutent avec Mme Banks et son mari. Alexis et son fiancé, Ryan, qui revient d'Afghanistan, tiennent leur fillette, Felicity, par la main. Je suis un peu surprise de voir Tammy Henthoff, seule. Quand elle croise mes yeux, nous nous saluons d'un hochement de tête.

Ben se tient à l'écart. Il contemple, au bas de la colline, la fusée. Je fais de même puis, dans un mouvement identique, nous nous tournons l'un vers l'autre. J'ignore ce que peut communiquer un regard, mais il est sûr et certain qu'il transmet quelque chose. *Compliqué et foutrement tordu* décrit bien le phénomène. Mais c'est peut-être juste l'amour, qui est ainsi.

Prête ? me demande-t-il de ses seules lèvres.

J'opine. Je suis prête. Bientôt, les musiciens vont jouer la chanson des Bishop Allen sur les lucioles et le pardon, je ferai l'éloge funèbre de mon amie, et nous éparpillerons un peu d'elle dans le vent. Puis nous

redescendrons, dépasserons la fusée, irons au cimetière jusqu'à sa tombe, où l'épitaphe dira :

Megan Luisa Garcia
J'ÉTAIS LÀ.

Note de l'auteur

Il y a des années de cela, j'ai écrit un article sur le suicide. J'y interrogeais la famille et les amis de jeunes femmes qui avaient mis fin à leur vie. C'est comme ça que j'ai « rencontré » Suzy Gonzales. Façon de parler, puisqu'elle était morte depuis plusieurs années. À force d'écouter les témoignages de ses connaissances et des siens, j'ai fini par oublier le thème sur lequel je travaillais. Ils m'ont peint le portrait d'une fille de dix-neuf ans brillante, créative, charismatique et non conformiste, le genre de personne que j'aurais pu interviewer parce qu'elle publiait son premier roman, sortait son premier album ou réalisait un chouette film indépendant. En surface, elle ne m'a pas – ni moi ni ceux avec qui je discutais – frappée comme étant du genre à se tuer.

À cette exception près que, comme tous les autres sujets de mon article, Suzy souffrait de dépression. Quand elle a commencé à nourrir des idées suicidaires, elle a cherché de l'aide au dispensaire de son université puis a fini par placer sa confiance dans un groupe de « soutien » au suicide où elle a trouvé à la fois des encouragements et des conseils pour mener à bien son projet.

Je n'ai jamais vraiment cessé de penser à elle, à l'article que j'aurais pu rédiger sur elle – le livre qu'elle aurait pu signer, le groupe dans lequel elle aurait pu chanter, le film qu'elle aurait pu tourner – si elle avait bénéficié du traitement approprié à son état, qui la plongeait dans une telle souffrance que la seule solution qu'elle a réussi à envisager a été d'en terminer avec l'existence.

Plus d'une décennie plus tard, Suzy a été l'étincelle inspiratrice du personnage de fiction qu'est Meg. Et de Meg est née Cody, l'héroïne de *J'étais là*. Cody est une jeune femme dévastée par la mort de sa meilleure amie, écorchée par le deuil, pleine de tristesse, de colère, de regrets et d'interrogations qui ne trouveront jamais de réponse. Cody et Meg sont inventées, mais cela ne m'empêche pas de me poser une question : si Meg avait su quel impact son suicide aurait sur sa meilleure amie et sa famille, l'aurait-elle commis ? Si, prise au piège des profondeurs de sa dépression, elle était en mesure de sonder les effets contagieux de son acte ?

D'après l'Association américaine de prévention du suicide, de nombreuses études suggèrent qu'une écrasante majorité de ceux qui mettent un terme à leur vie – 90 % voire plus – souffrent d'un trouble mental au moment de leur mort. Le plus répandu est la dépression, bien que la bipolarité et la toxicomanie puissent également jouer. Souvent, ces maladies ne sont ni diagnostiquées ni traitées à l'instant fatal.

Notez que je les appelle *maladies*. Comme la pneumonie en est une. Mais lorsqu'elles sont psychologiques, le problème devient épineux, puisque ça se passe « dans la tête ». Ce qui n'est pas exact. Les chercheurs ont prouvé l'existence d'un lien entre le risque de suicide et des modifications dans l'activité chimique du cerveau, que l'on nomme neurotransmetteurs, tels que la sérotonine. Ces troubles physiologiques provoquent des réactions mentales (et physiques) qui sont susceptibles de nous plonger dans un état épouvantable et, à l'instar de la pneumonie et dans les cas les plus extrêmes, d'être mortels, faute de soins.

Dieu merci, il existe des traitements, en général un mélange de médicaments stabilisant les humeurs et de thérapie. Ne pas se soigner revient à obtenir un diagnostic de pneumonie tout en refusant de prendre des antibiotiques et de rester alité. Quant à faire ce que Meg et Suzy ont fait ? Ce serait comme apprendre qu'on souffre de pneumonie puis se connecter sur Internet et s'entretenir avec des gens qui vous conseilleraient de fumer un paquet de cigarettes par jour tout en courant sous la pluie. Suivriez-vous ce genre de recommandations ?

Tous les dépressifs ne sont pas suicidaires. La grande majorité ne l'est pas. De même que tous ceux qui se sont un jour demandé à quoi ressemblerait leur mort par suicide. Lorsque Richard dit « tout le monde connaît ça », je crois qu'il a raison. Je crois que tout un chacun traverse des jours, des semaines si pénibles qu'il fantasme sur le fait de ne pas exister, tout simplement. Ce n'est pas la même chose que quand les envies de suicide envahissent votre esprit, qu'elles se transforment en plans, et ces derniers, en actes. (Pour la liste des signes précurseurs et des facteurs de risques, rendez-vous sur : http://www.preventionsuicide.info)

Comme Cody, comme Richard, j'ai connu ça. J'ai eu de mauvais jours. Mais je n'ai jamais sérieusement envisagé le suicide. Ce qui ne signifie pas qu'il a épargné ma vie. Un ami très proche a fait une tentative il y a des années. Il a trouvé de l'aide, a vécu une longue et heureuse existence. Si le suicide est une porte coulissante donnant sur des ce-qui-aurait-pu-être, comme dans le cas de Meg et de Suzy, je discerne les fantômes de leurs vies non vécues ; dans l'autre cas, celui de mon ami, je vois l'autre côté de la médaille : une existence pleine et joyeuse qui a failli ne pas être.

La vie peut être dure, belle et compliquée, mais on est en droit d'espérer qu'elle sera longue. Alors, vous verrez qu'elle est imprévisible, que des périodes noires se produisent mais s'apaisent – parfois avec beaucoup de soutien – et que les tunnels s'élargissent, ce qui permet au soleil de revenir. Si vous êtes dans l'obscurité, vous aurez peut-être l'impression que vous n'en sortirez jamais. Que vous tâtonnerez. Seul. Mais ce n'est pas vrai. Il existe des gens susceptibles de vous permettre de retrouver la lumière. Voici comment procéder.

Si vous avez mal et besoin de secours, la première chose à faire est de vous en ouvrir à quelqu'un. Parents, frères ou sœurs plus âgés, tantes et oncles – trouvez un adulte en qui vous puissiez avoir confiance : un prêtre, un psychologue du lycée, un médecin, une infirmière, un ami de la famille. Mais ce n'est là que la première étape, pas la dernière. Il ne suffit pas de se confier à un tiers. Une fois que vous aurez parlé, ce dernier pourra vous aider à trouver l'aide professionnelle dont vous avez besoin.

Si vous échouez à choisir un adulte responsable ou si vous hésitez sur la marche à suivre pour vous-même ou quelqu'un que vous aimez, il existe différentes associations adhérentes de l'Union nationale pour la prévention du suicide (UNPS, www.unps.fr) dont les sites donnent des numéros de téléphone dans votre région pour un soutien immédiat (l'une des plus célèbres étant SOS amitié, www.sos-amitie.org).

Remerciements

Voici le moment où les écrivains ont tendance à remercier tous ceux qui les ont aidés à rédiger un livre. En plus d'exprimer ma gratitude, j'aimerais pour ma part rendre un réel hommage aux personnes qui ont apporté leur contribution à la naissance de *J'étais là* en les nommant toutes.

Je rends hommage à Michael Bourret, dont les plaidoyers, le soutien, la franchise et l'amitié me rendent courageuse et me donnent envie de l'être toujours plus.

Je rends hommage à l'équipe au complet de Penguin Young Readers Group. Ceci est notre cinquième ouvrage en sept années de collaboration. À ce stade, ça ressemble à un mariage, qui inclurait toutefois nombre d'épouses sœurs (et même plusieurs maris) : Erin Berger, Nancy Brennan, Danielle Calotta, Kristin Gilson, Anna Jarzab, Eileen Kreit, Jen Loja, Elyse Marshall, Janet Pascal, Emily Romero, Leila Sales, Kaitlin Severini, Alex Ulyett, Don Weisberg et, dernier mais non le moindre, mon éditeur et ami, le merveilleux Ken Wright.

Je rends hommage à Tamara Glenny, Marjorie Ingall, Stephanie Perkins et Maggie Stifvater pour avoir lu mes brouillons à des étapes vitales du livre et m'avoir fait part de leurs nombreuses impressions pleines de sagesse et d'attention.

Je rends hommage à mes amis de Brooklyn Lady Writer™, avec lesquels je travaille, bois (du café surtout), complote et rêve : Libba Bray, E. Lockhart et Robin Wasserman. Chapeau bas à Sandy London, bien qu'il ne soit pas une lady, et à Rainbow Rowell, Nova Ren Suma et Margaret Stohl, bien qu'elles ne soient pas de Brooklyn.

Je rends hommage à mes amis de Brooklyn qui ne sont pas écrivains et m'aident à tenir le coup : Ann Marie, Brian et Mary Clarke, Kathy Kline, Isabel Kyriacou, Cameron et Jackie Wilson.

Je rends hommage à Jonathan Steuer pour m'avoir aidée à sembler passablement compétente en matière d'informatique.

Je rends hommage à Justin Rice, Christian Rudder et Corin Tucker dont la musique d'abord et la générosité ensuite m'ont inspirée.

Je rends hommage à Lauren Abramo, Deb Shapiro et Dana Spector qui font découvrir mon travail à un public plus large.

Je rends hommage à Tori Hill, elfe nocturne qui règle les choses par magie.

Je rends plus généralement hommage à la communauté jeune adulte : auteurs, bibliothécaires, libraires. Pour citer la grande Lorde : *We're on each other's team.*

Je rends hommage à Mike et Mary Gonzales pour leur élégance et leur générosité.

Je rends hommage à Suzy Gonzales, l'étincelle de ce livre. J'aurais préféré la connaître plutôt que me contenter du personnage que j'ai inventé grâce à elle. Ses parents me disent que, de son vivant, elle essayait toujours d'aider les autres. C'est peut-être aussi vrai dans la mort.

Je rends hommage à toutes les femmes et à tous les hommes qui se sont battus contre la dépression, les troubles de l'humeur, les maladies mentales et le suicide, qui ont trouvé le moyen de faire face et, mieux encore, de s'épanouir.

Je rends hommage à tous les hommes et à toutes les femmes qui se sont battus contre la dépression, les troubles de l'humeur, les maladies mentales et le suicide, qui n'ont pas trouvé le moyen de faire face et ont succombé.

Je rends hommage à l'American Foundation for Suicide Prevention (www.afsp.org) parce qu'elle fait pencher la balance en faveur de ceux qui s'épanouissent et nous aide à mieux comprendre cette maladie complexe.

Je rends hommage à mes parents, mes frères et sœurs, mes beaux-frères et belles-sœurs, mes nièces et mon neveu pour toutes les formes de soutien qu'ils m'ont apportées.

Je rends hommage à Willa et Denbele pour leur férocité et leur amour.

Je rends hommage à Nick, parce qu'il est là, à mes côtés.